甘美な牢獄

宇能鴻一郎

シリーズ日本語の醍醐味⑩

烏有書林

目次

甘美な牢獄

光と風と恋

1

博之のななめ前の席に、久保京子はいた。

入学式がすんだばかりで、教室にはあの落ちつかない、なつかしいざわめきが満ちていた。何人もの合格者を出している名門中学からきた生徒たちは、仲間だけでかたまって机に腰をかけ、先輩からの受け売りらしい新しい教師の前評判や、落第した仲間の、ことさら大声の噂話をして、内心のかすかな緊張感に対抗していた。

一人二人ずつしか入らなかった田舎出の秀才たちは、隅の席をえらんで坐り、机の蓋の開き工合をためしたり、布鞄をかける位置をたしかめたり、上級生の残していった落書きを消しゴムでこすったりして、そわそわと落ちつかなかった。

そして、これも定石《じょうせき》どおりに、それらの鞄や制服や徽章《きしょう》はみな新しく、革や染料やの匂いをはなち、金具やボタンは誇らしく光りかがやき、前夜母親か姉かの手で縫いつけられた帽子の二本の白線は、ことに新しく、その白さを際立たせているのだった。

一隅には、猫背だったり、眼鏡をかけたりの、これも新しいセーラー服の物静かな一群が何となくかたまって坐っていた。蒸れたクリームと甘酸っぱい少女の匂いに、男子生徒たちは教室へ入ったときから、ちらちらと神経質な視線を送りつづけ、ときに意識して野蛮な笑い声をあげたりしたが、個々の少女への関心は、はじめのうちはほんとうに瞬時を越えることはなかった。

休暇あけの机の埃。生意気にホックをはずして着た制服の、胸に吹きこむ風のさわやかさ。窓際で四月の陽をはねかえしている、胸もとにのぞくワイシャツのまぶしさ。そこにも、勇気をふるって隣人に話しかけてみる生徒がいる。中学生用のものよりはずっと分厚い、匂いの新しい固い辞書を音立てて割り、耳なれない単語を発音してみて、ひとり超然と装っている生徒がいる。もの馴れている、というポーズを見せたいばかりに、博之たちの気持の、なんとぶざまに昂ぶっていたことだろう。しかし、やがて入ってきた担任教師が、事務的な口調で手つづき上の注意を与えたのち、

「……私が、諸君に教えてもらうことも多いだろうが、よろしく」

と、ことさら生徒たちを大人あつかいにしてつけくわえたとき、教室に湧いた無言のどよめ

きの、なんと大きかったことだろう。

博之の前は、青白い、扁平胸の、大学教授の息子だった。年に似合わぬユーモアと皮肉の才能が、彼のまわりにまもなく何人かの崇拝者をあつめた。

左側はヴァイオリンの得意な、出っ尻の、銀行家の息子だった。はじめの一学期だけ彼はおそろしく英語ができ、大学英文科を出たての教師の質問は、しばらく彼にばかり集中した。しかし質問されても手はあげず、指名されてはじめて、ものぐさに立ちあがる、という習慣を生徒たちが身につけてからも、彼だけは勇敢に率先して手をあげ、しかも答えがしばしば間違っていたので、生徒なかまでの評価は急速に下落したのだった。

そして、博之は——。

幾何《きか》の時間だった。老教師が銀髪を光らせながら黒板にむかって、数式を書いていく。教室には眠気と、ペンの走る音がおびただしい蜂の翅音《はおと》のようにみちている。ふいに博之は立ちあがり、手を背後に組んで、教室の後を歩きはじめる。気配に教師はふり返る。チョークをつまんだまま、不審そうに彼を見つめる。

「気分が悪いのですか」

「いいえ。失礼しました」

それだけ答えて、博之は席にもどる。教師は黒板にむかう。一瞬ざわめいた教室には、ふたたび眠気と、ペンの音が満ちる……。

ほんとうの理由を言ったら、教師は怒っただろうか。じっと席に落ちついているには、窓外の緑はあまりにもあざやかだった。その匂いはむせ返るほどに強かった。遠くの海水プールの水しぶきは、そこからの叫び声は、小さいがきららかな陽光にみちて彼を呼びつづけていた。対照的に干からびて、生気のない教師の声への嫌悪、実直さへの反撥、この輝かしい季節に自分を、固い木の椅子にしばりつけていないではおかない、何ものかへのたまらない憎悪。

そして、博之のななめ前の席に、久保京子はいた。

はじめのうち博之は、京子をとくに美しいと思ったわけではなかった。しかし京子には、他の少女たちのような、子供と大人が中途はんぱな形で混りあっていることから生ずる、あの醜さ、滑稽さが少しも感じられなかったのだ。はね上った短い髪をむりに結んで眼じりをひきつらせていたり、深くくったセーラー服の胸から大きな乳房の根をのぞかせていたり、なま白い太い脚に、へんに強い毛を生やしていたり、汗の滲みた白いブラウスを肩胛骨《けんこうこつ》で突っぱらせて机にうつむいていたり、眼鏡をかけた頬をノートすれすれに近づけて筆記していたり、哀切に聞えるほどの大げさな叫びをあげて男子生徒の注意をひこうとしたり……そうしたどの少女にもありがちな惨めな部分が、京子にはいっさい、なかったのだ。

とはいえ、他の少女の幼い女くささに、博之がまったく心をひかれなかったわけではない。たとえば或《あ》る朝、博之は同学年の、別クラスの少女からの手紙を、机のなかに発見したことがあったが、返事こそ出さなかったものの、しばらくはその、むしろ醜い女子生徒と、廊下で行き合うときなど、やはり胸がときめく自分に腹を立てたことさえあった。

「……交際して下さい」

と、その花模様のレター・ペーパーの、細いインキの筆跡は、結んであった。

京子とのあいだには、なにも事件はなかった。二人きりになったことも、話をしたことさえなかった。にもかかわらず、静かな京子の存在がしだいに気がかりになりはじめ、そのためにかえって気軽に話しかけにくくなったことは、大ていの恋の発端とおなじだった。

手だてがないこともなかった。京子は演劇部に入っていたから、同じサークルに入れば、交際の道はしぜんに開けるはずだった。しかしそんな目的で入部するのは、いかにも心疚《こころやま》しかった。おなじ奇妙な潔癖感から、博之は彼女も出演しているという、秋の文化祭の演劇部公演さえ、のぞいて見もしなかったのだ。

教室での物静かな振舞に似ず、その公演での京子は情熱的で、大胆で、主役の三年女子生徒を圧倒するほどの演技を見せた、という噂が、まもなく伝わってくるのだった。上級男子の誰

かれが、彼女を追いまわしているということも、手紙を渡されたという話も、演劇部の顧問教官が、

「久保は、娼婦やバーのマダムをやらせるとすばらしくうまいが、ほんとはニコヨンのおばさんや、女工などもやってのけられなければ、演技派だとはいえない」

と批評したという噂まで、情報通の生徒はこくめいに教えてくれるのだった。

知ろうととくにつとめはしなかったのに、その家庭の事情さえ、いつか博之の耳には入っていた。軍医だった父親は早く死に、たいへんな美人の母親と二人きりで、海岸ちかくのアパートに住んでいるらしかった。母親は県庁につとめ、かたがた労働組合の委員をし、しかもダンスが好きで、夜おそく男に送られて帰ってくることもしばしばだ、という。娘については完全な放任主義で、他人に迷惑をかけぬかぎり、すべての自由を認めているらしい……。

しかし教室での京子自身は、いつまでたっても噂の圏外にいるように見えた。質素で地味な、しかし気の利いたなりをして、教師の質問には言葉すくなに答え、友達と無駄ばなしをすることも、ほとんどなかった。成績も女子のなかでは優秀なほうで、模擬試験のあと廊下に貼りだされる上位三十名のなかに、名前が混っていることもしばしばあった。

いろいろな噂を思いうかべ、ななめ前に坐っているその無造作な、しかし丹念にウェーヴさせた髪型や、ほっそりと長い首やを見ていると、博之はときに、胸が苦しく締めつけられるの

を感じた。自分が京子にとって何ものでもない、と考え、自分以外の男――腋臭《わきが》くさい上級男子や、気障《きざ》な演劇部員や、札つきの不良学生や、演劇部顧問の若い独身教師や――が京子にたいしてもっている可能性を考え、京子が女として彼らにもっている可能性を考えると、漠とした嫉妬と悲しみに、目のまえが暗くなるのだった。

ときには博之も、ちらと目があったときの京子の視線や、ぱっと明るむような頬の輝きや、廊下をすれちがったとき、女同士の会話のなかでひときわ、哀切なほど高く響いた京子の声の調子などから、京子ももしかしたら自分に好意をもってくれているのかもしれない、と考えたこともなかったわけではない。だが、それをはっきりした言葉や行為でたしかめるには、博之はあまりにも臆病だった。というよりも、つまらぬ気位の高さを、あまりに過剰に彼は持ちすぎていた……。

まもなく、秋の、体育祭がやって来た。スポーツが好きで、水泳やラグビーはよくやったにもかかわらず、博之は、観衆の前でそれをするのは嫌いだった。静止している他人の眼を意識するや、博之の手足の動きはたちまちちぐはぐになりはじめ、とうとう大失敗を演ずるのが落ちだったから。

そのぶざまさに耐えられそうもなかったので、博之は欠席届けを出しておき、午後からカメラをぶらさげて、体育祭を見物にでかけた。三十分ほど見て、校門に足をむけたとき、背後に軽い足音がひびいて、彼を追いぬいた。黒い体操パンツをはき、鉢巻をしめた久保京子なのだ。京子はいったん杉の葉を飾った校門まで走り、何かをさがすようにまわりを見まわし、また走りもどってくる。すれちがってから京子は、再び引き返して校門へと走ってゆくのである。

博之はシャツの背に、じっとりと汗をかいている。陽ざしは頭の芯を焼きつくすようだ。何かいわねばならない、という苦しい義務感があり、それもうまく言わねばならぬ、という緊張が、かえってこちらの表情を不自然なものにしてしまう。しかもそれは、ほんとうに言いたいことではない。交際を求める最初の言葉は、いつも儀礼にすぎないのだ。儀礼なら、どんな言葉でもいいはずだった。

とっさに博之は、(写真をとらせて欲しい)という意味のことを口走ったように覚えている。博之が高校生には不似合いな、新品のキャノンフレックスをぶらさげているのを見て、京子もおそらく、そうきっかけをつけられるのを期待していたのであろう。写真部のモデルに、彼女は何度か使われたことがあった。とすると、この言葉が儀礼にすぎないことは、京子も十分に承知しているはずなのだ……。

京子は承諾し、博之はふしぎなことに、自分を鞭打つような気持で、グラウンドの熱気と騒音と、金銀紙の装飾とテントや旗のはためきの下へ引きかえすのだった。不器用な会話を交しながら博之は、つづけざまにシャッターを切りつづけた。何を話していたのか、その内容は熱に浮かされていたときの出来ごとのように、あとではほとんど思いだせないのだった。
帰りの道すがら、博之は（ふしぎだ、ふしぎだ）と口のなかでつぶやきつづけた。（あんな美しい、人気のある女が、どこといって取り柄のない、美しくもない、陰気で傲慢な自分に好意を持つなんて。もしかしたら彼女は、迷惑だったのではないだろうか。校門まで何度も往復したのは、ほんとうに誰か、待ち人があったのではないだろうか。自分は何と気の利かない、図々しい男に思われたことだろう）
この自信のなさが、博之をまたしても京子から遠ざけた。できあがった写真を、博之はよそよそしい鄭重《ていちょう》さで少女に手わたした。京子は首をかしげ、眼を大きくみひらき、彼をまじまじと見て写真をうけとった。……こうしてきっかけは、またしても生かされぬままにおわった。

2

二年になった。夏休みに博之は友人の後藤と共同で、近くの蔦島《つたじま》海岸に一部屋を借りた。涼しい風に吹かれながら勉強しようと計画していたのだが、三日もたたぬうちに二人とも、めったに机にもむかわなくなっていた。

その朝は、夜じゅう降りつづいた雨が上ったばかりで、空気は涼しく、大潮に運ばれた微細な砂は足裏に冷たかった。小さなピンクの貝殻や、紫いろの雲丹《うに》や、気味わるい赤さと橙《だいだい》いろの海星《ひとで》が、海藻にまつわっておびただしく打ちあげられている。小さな河豚《ふぐ》が、ふくれかえって動いていたりする。珊瑚に似た形と暗赤色の、ツノマタを指先でひっぱってみると、動物のようにはげしく身をちぢめて、海に沈んだ。痩せた樹々は昨夜の波に根を洗われて同じ方向に倒れかかり、細い毛根を露《あら》わに持ちあげているのだった。

空はまだ灰いろで、風が強かった。

対岸には避暑客用の、まだ閑散としているホテルがあった。そこから波を押しわけて進んできた渡し舟が、桟橋におろした数人の客のなかに、博之はサンダルをはき、白い服を着た少女を見た。あまり思いがけなかったので、博之の足は意気地なくすくみ、頰がひきつった。しかし、いまさらあとへは退《ひ》けなかった。

京子はひとりではなかった。つれの、大きい麦藁帽をかぶった年長の女は、彼女の母親らしかった。噂どおり美しい女性らしいことが、まともに仰ぐ勇気はなかったものの、大きい庇《ひさし》からのぞいて見える、鼻から口もと、顎へかけての彫刻的な線や、肉づきのいい、のびのびした、大柄な肉体からも見てとれた。

京子の紹介に母親は、男のように低くしっかりした、しかし快い感じの声で軽く挨拶すると、そのまま先に立って歩きだすのだった。洗練された優しい無関心がその背中に見てとれ、博之と京子は何ということなく、つれだってあとにつづいた。

(たしかに顔立ちは似ている。……だが、これが母娘だろうか。友達みたいな口の利きようではないか。もっともあらゆる点で、母親が娘にまさってはいるが。……こんな家庭もあるのだろうか)

京子も顔みしりの、後藤といっしょに来ていることを、博之は話した。そこで、相談はしぜんにまとまった。三日のちの日曜日、この四人で弁当を持って、すぐ近くに浮いている小蔦島《こつたじま》に磯遊びに行こう、というのである。

約束のその日、しかし母親は現れなかった。組合の急な用事ができて、そちらの方へ行かねばならなくなった、というのである。その代りに、というのか、京子はバスケット二つにつめこんだ食糧といっしょに、女子大生だという従姉をつれてきていた。髪を獅子頭のように盛りあげ、ショーツの下から赤いまだらのある、太い腿《もも》と膝頭をつきだしたこの娘は、さいしょから馬鹿なはしゃぎようで、少年たちをたちまちうんざりさせた。

四人はビーチ・サンダルをつっかけ、バスケットや魔法瓶や魚刺《やす》を持ち、前後して砂浜を歩いていたのだが、後藤がいたって無口な性質《たち》なので、適度に相づちを打っていた博之が、いつか彼女の相手に決まってしまったことも彼には腹立たしかった。そのくせ京子に対したときは決して出なかった軽口や冗談は、口をついてあふれ、そのたびに女子大生は大口をあけて笑いころげるのだった。

やがて自分が厭になって博之が黙りこんだあとも、女子大生のおしゃべりはとめどなくつづき、

「ケイオーかリッキョー出のカッコいいハズをつかまえて、ぴしぴし仕込んでやるの」

などと、この場に関係のなさそうなことまで口ばしり、皆を鼻白ませたりした。

瀬戸内の海は明るく、小蔦島の向うには積乱雲がかがやいている。そのはざまに太陽はきらめき、砂浜の熱気は爆発するようである。潮は引き、海藻や貝は乾きはじめて、生ぐさい匂いを風にのせてくる。わざと遅れて、三人のあとをつけて歩きながら、博之は京子の陽焼けした、すらりとした脚を、白サンダルからのぞいている爪のひび割れを、丸い小さなかかとの汚れを、稚《おさな》さの残った細く締まった足首を、ある切なさと、うしろめたさと、かすかな不満を味わいながら、飽かず眺めていた。

水着に着替えて、海に入る。岩が多いのでビーチ・サンダルははいたままである。京子と女子大生は岩礁のくぼみにかがみ、潮だまりに手を入れて、藻のあいだを敏活に逃げまわる透明な小海老を追いまわしている。たもの網目からすり脱けられて、よくひびく悲鳴をあげる。後藤と博之は沖まで泳ぎだし、しばらくぼんやりと浮かんで、その声を聞いていた。

ある屈託を、二人はお互いのうちに感じていた。どちらからともなく二人は手短かに、辛辣

に女たちを批評しあったが、後味は苦かった。気分を変えたくて、博之は言った。

「泳ぐか」

「うん」

身をひるがえし、ことさら大きなしぶきをあげて、後藤は浜にむかって泳ぎはじめた。たちまち博之は追いついた。あとはもう、でたらめな競走だった。筋肉の躍動と、全身がなめらかに水をつらぬく悦びと、荒い呼吸に、博之はようやくその屈託を忘れた。

小蔦島に上陸し、風通しのよい清潔な樹影をみつけて、飯盒炊爨《はんごうすいさん》をする。博之は山刀を持ってきていたので、竈《かまど》つくりは後藤にまかせて、薪を探しにいった。すると当然のことのように女子大生が、彼のあとからついてくるのだった。「気を利かせてやらなくっちゃね」といったような言葉を娘は口ばしっていたが、この気の利かせかたは博之にはむろんのこと、他に恋人のいる後藤にも、そしておそらくは京子にも、見当ちがいであるにちがいなかった。

しかし激しい運動のあとの、博之の陽気な気分はまだつづいていた。軽口はあいかわらずつぎつぎと出てきて、娘は「死にそうだ」といって笑いころげた。澄みきった空の、悪意ある空虚さ、といったものを、そのあいだ博之は感じつづけた。汗がしきりに眼にしみた。しかも彼は、垢抜けのしない、赤い血の色を浮かした娘の、肥《ふと》った手の甲を、指先でつつくようなまねさえしたのだ。

黄いろい花の咲いている藪かげまできたとき、博之は軽く、娘の頬を叩いた。あまり艶がよく張りきっているので、触れてみたくなっただけだが、娘はそれを愛撫とうけとったらしく、うっとりと眼を閉じるのだった。少し力をまして、もういちど叩いてみた。今度は冗談だと思ったらしく、眼を開いて笑いだし、何か言おうとする。言うひまを与えず、思いきり平手うちを喰わせてみる。(美しいものに対してあれほど気弱な自分が、醜い相手にはどうしてこう傲慢に、残酷になれるのだろう)といぶかしみながら。女子大生は頬を抑えてよろめき、眼に驚きと怖れのいろを見せ、それでもこわばった頬に笑いを浮かべようと努力しながら、涙を流した。

枯枝や流木をかかえて帰りついてみると、焚火のまわりで手持不沙汰にしていた後藤と京子は、博之たちを見て複雑な表情を浮かべた。女子大生は眼のまわりを腫れぼったくし、不自然に無口になっていた。

串にさした肉を焼き直し、魔法瓶からコーヒーをつぎ、鑵詰をいくつもあけ、西瓜を割る。女たちが拾った貝や小蛸、雲丹なども焼いて食ったが、肉がすくなくてほとんど食べられなかった。気分をひきたてようとしてか、後藤が、トランジスター・ラジオに合わせて、サーフィンを踊るようなことをする。

二人を後藤にまかせて、博之は海に歩み入った。ぬめぬめした蔓藻《つるも》や小袋をつけたホンダワラが足にまといつき、小石の多い底は足裏を刺して、歩きにくかった。細身の鱚《きす》の仔が、脛《すね》をかすめて泳ぎ去る。イソギンチャクが、緑の斑点のあるあざやかな金茶いろの花びらを、ゆっくりと閉ざす……。

汚れた薄黄いろの、瘤だらけの塊りを、博之は足もとにゆらめく水のなかに見つけた。拾いあげたとたんに奇妙なその物体の全身が収縮し、二つの口から海水があふれ出た。柔らかい肉と硬いゴムのような瘤と、こりこりした芯が指に触れる。形といい手ざわりといい、どこか気味はわるいが、こちらの感覚にじんわりと喰いこんでくるような、奇妙な快さも持った生き物である。

これがホヤという原始的な動物であることを、博之は理科の実習で、中学のときに知っていた。皮をはいだなまなましい橙いろの肉を、父親の晩酌につきあわされて、食べたことさえあった。大きく切り、酢で和えたその歯ざわりは、弾力に富んで快く、臭みはあったが、ふしぎに記憶にのこるねちこい味わいのものだった。

掌に、その意外な重みと感触を楽しみながら、ぼんやり立っているうちに、博之はごく自然に、いちど会ったきりの京子の母親を思いだしていた。さっきからの不満や腹立ちがすべて、彼女が来なかったことに大根《おおね》は原因しているのに、博之はこのとき、はじめて気づくのだった。

3

しかしこの一日は、博之と京子のあいだの隔てを取り去る機会にはなった。向日葵《ひまわり》と白い柵にかこまれて、二階建四軒の白い建物が四つ並んだ、京子の市営アパートに、これから博之は招かれてしばしば遊びに行くようになった。母娘にたいする愛着とは別に、男手のない家庭の持つ人なつっこい、柔らかい、頼りなげな雰囲気や、小さな力仕事にも一人前の男として手伝ってやれる快さが、彼を必要以上に、その六畳と四畳半と、ダイニングキッチンしかない小さな城に惹きつけるのだった。

昼間の授業で、ノートの取れなかったところを、見せてもらいに行く。問題集の判らぬ部分を聞きたいといって、京子から電話がかかってくる。風のよく通る、花模様のカーテンがゆらめく六畳にテーブルを出して、母親がつとめに出たあと、二人きりで向きあって午後を過すのである。

母娘のあいだに、たとえば自分の母親と嫁いだ姉のあいだに見られたような、愛情と同性としての憎しみが微妙にからまった感情がほとんど見られなかったのが、博之にはふしぎだった。母娘がお互いに干渉しあわぬ部分を持ち、めいめいの目的にむかって精力的に生きていることが、感情をよどませる暇を与えぬのかもしれなかった。それが同時に、この母親の教育方針だということも、博之はやがて知った。

「何をしたっていいけど、自分たちで責任はとるのよ」

といいおいて、二人を残して午後からの勤めに出ていったこともある。(昼食を彼女は、ほとんど自宅に戻って食べていた)

「どんなことになっても二人の自由だけど、女ははじめのうち、あんまりいいもんじゃなくてよ」

と、さばさばした口調でいってのけたことさえある。

こうまでいわれると、かえって母親の予想する成行にはなりたくない、と思ってしまう子供っぽい自尊心から、博之はまだ自由になりきれていなかったのだ。おなじ心理が京子も働くらしく、母親からそう言われたあとは多少ともつんとして、彼によそよそしい態度を見せたりした。

とはいえ、窓際の机にむかってうつむいている京子の、いたいたしいほど細い肩を見ると、博之はときに、両手でつかんで押しつぶしてやりたい衝動を覚えることもあった。子供っぽくのけぞって笑う喉《のど》の白さや、サマーセーターの胸のまだ硬そうなふくらみを見ると、指先でそっと触れてみたい甘酸っぱい気持に駆られることもあった。しかしそれ以上のことを、彼女にいどみたいのかどうかは、自分でもまだよく判らないのだった。学校に出てくる主な楽しみがななめ前の席に彼女を見ることで、たまに欠席していると一日気がかりだった高校一年のときの気持から、京子にたいする感情は、少しも後退しているとは思えなかったのだが。

あの切ない、自分で自分の肉体をどうしようもない激情に襲われるとき、博之が思いうかべる相手は、またしても母親のほうなのだった。夜な夜なの夢にあらわれる彼女は、ときに彼の掌に弾力に富んだ感触を与え、うす気味わるい、しかしどこかで彼を惹いてやまない形や色をもった、イソギンチャクや、ウミウシや、ホヤのイメージと、奇妙に重なってあらわれ、ねっとりとまといついて彼を吸いつくすのだった。

しかも現実の彼女の、乾いた、やや乱暴な、それでいて優しみをふくんだ声、活潑な、それも京子のようにただ敏活だというだけではなく、量感にあふれた動作、ときに近づきがたいほど厳しい表情になる、みごとな鼻から肉の厚い額にかけての線は、そしてただ細く長いだけの京子のにくらべて、みるからにがっしりした、太さと硬さをもあわせもった逞しい脚と、十分に太く、それでいて立ったときは眼立たない膝頭と、ややだぶついて見えるほど大きい、柔らかそうな乳房、さらにきめのこまかい、脂肪にじっとり煙っている冷たそうな皮膚さえも、京子のまだ持ちあわせていないものだった。笑わぬときも眼尻に寄っている数本の皺や、眼をかこむ半月状のくますらも、物憂そうにしているときには或る言いがたい優しさと、色っぽさにみちて、感じられるのだった。自分がここに来るのが、母と娘のどちらに会いたくてなのか、博之はよく判らなくなるときがあった。

なによりも、この母親との会話は楽しかった。京子とのときはやはり博之が教える口調になってしまうのに、母親とでは彼は対等に、昨日考えたばかりのどんな抽象的な問題についても、すべて理解してもらえるという安心感の上に立って、喋ることができるのだった。しかも彼女の受け答えにはやはり、長く人生を生き、実際に生活と戦ってきた人間の、重味と、実感があった。——もっとも、対等に話せると博之に思いこませるのが、あるいは向うの配慮の結果なのかもしれなかったが。

つい京子をおきざりにして、その母親と話しこんでいるうちに、京子の顔いろがしだいに変わってきたことがある。つっけんどんな口調で、明日でもいい用事を、いま足しに行くという。母親は笑って相手にしない。結局母親の発案で、もう遅いから博之が京子を護衛して用足しに行く、ということで落着きはしたが。

京子がいきなり、

「お母さんを好きなんでしょ」

といったこともある。

学校では京子は、自宅での親しさをそぶりにも見せなかった。もとより博之のほうもそうだった。三年になるとクラスは変わり、学校での彼女については、演劇部で女王のように振舞っている、という噂を聞いたり、男子部員にとりまかれて廊下を歩いている姿をちらと見るくらいのかかわりしかなくなった。公演も、京子が厭がるので、見たことはなかった。しかし自宅で母親と並んだ京子は、いつまでたってもどこかしら幼いところを残した、素直で、物静かな少女だった。

——その京子が、珍しく教室の窓から、手招きして彼を呼んだ。目を輝かせ、声をひそめて告げた。三年の二学期がはじまったばかりのある日だった。

「大ニュースよ。ママに恋人ができたの」

意味がしばらく判らなかった。やがて脚から力が脱けた。しかしよく聞くと、事態はそこまで進んでいるわけではなかった。

昨夜、京子は母親と市内琴弾《ことひき》公園に、銭形を見にいった。これは周囲三百四十五メートルの、砂でつくった寛永通宝で、夜はライトを浴びて浮きだすようになっている、江戸時代からの土地の名物である。そこで母親は昔、東京でつきあい、やがて別々に結婚した相手と、偶然に再会したのだ、という。

「安芸さんというの。すてきな小父さまよ。奥さまと別れて、いまはヨットが恋人なんだって。今度も小豆島《しょうどしま》で新しくつくったヨットを受けとって、それで四国をぶらぶらまわっているんですって。乗せてあげるからお友達とどうぞ、とおっしゃるのよ。いっしょに行きましょうよ」

4

木目を見せて美しくニス塗りした、幅ひろい、卵型の巨大な艇体を、ヨットはゆったりと海に浮かべていた。十メートルはありそうな太いマストの古風な斜桁《ガフ》に、純白の帆が重々しくふくらみ、陽を受けてまばゆく輝き、その先端は秋空と雲を指して、かすかに揺れつづけている。軽快というよりはむしろいかめしく、重厚なシー・ドルフィン型ヨットの、船室《キャビン》からあらわれた所有者《オーナー》は、陽に灼けた頬と細い鋭い眼にいつも愛想のいい笑いを絶やさない、堂々とした体軀の男だった。髪は半白だが、まだ四十五、六らしい。ビルをいくつか持っていて、その収益で遊んで暮せる身分らしいが、京子や博之にまで、こちらが落ちつけなくなるほどの腰の低さだった。ずっと抱きつづけていた或る種の気負いを博之ははぐらかされて、恰好のつかない気持になっていた。

やがて艇は波の静かな燧灘《ひうちなだ》を、帆を唸《うな》らせ、ゆるやかに左右にヒールしながら滑りはじめる。乗ってみるとヨットは外見よりさらに大きく、真紅のソファ・ベッドを二つおき、絨毯を敷いた四畳ほどのキャビンには、手洗いから台所まで整えてあった。そこから階段をのぼったテント張りの後甲板が操舵席《コックピット》で、白シャツに白い半ズボン姿の安芸氏はここで舵をとりながら、白っぽいベージュのキュロットをはいた京子の母親と、低い声でしきりに話しこんでいるのだった。

京子にひっぱられて、博之は細いデッキを伝い、錨《アンカ》とロープがたばねてある前甲板に移ったので、話の内容はなにも聞けなかった。ただ母親の表情が、京子や博之を相手にしているときとは別人のようにまじめで、かすかに緊張し、というよりはむしろ昂奮を抑えかねている様子なのは判り、そのことが——というより、それを彼女が博之に隠そうとさえしてくれないことが、彼にかすかな不安と痛みと屈辱を感じさせつづけるのだった。

いっぽう京子は、ひごろの静かさからは想像もつかないほどはしゃぎ、心の底から楽しそうだった。舷から垂らした素足を、波が打ったといっては笑い、短刀のようにきらめいて、魚がはねたといっては叫んだ。博之の腕に手をかけて荒っぽくゆさぶり、子供じみたしぐさで共感を強要しさえするのだった。

深いあきらめとともに、微妙な慣れあいの感情が、博之のほうにも湧いた。やがて博之は負けずに叫び、歌い、しぜんな動作で京子の肩に腕をまわし、ほっそりしたその肩を船首の上下動にあわせて揺った。髪は風に吹かれて博之の頬を打ち、彼は腕のなかにいじらしい体温と、まぎれもない女の匂いを感じとるのだった。

観音寺港から二時間ほど帆走して、ヨットは蔦島と干拓塩田《かんたくえんでん》のあいだに錨をおろす。博之と京子だけが、キャビンで水着にきかえ、ゴム・ボートで蔦島にむかう。浅瀬までくると、おびただしく砂にはりついているハゼが見え、博之はいきなり海にとびこんだ。

水に手をつけて、

「冷いわア」

とためらっていた京子もボートをひっくり返され、怒って博之に水をかける。こんな子供っぽい遊びに、もうそろそろ、しんからは夢中になりきれなくなっている自分たちを意識することが、よけい二人をはしゃがせ、熱中しているふりをさせるのであった。パイプをくゆらせながら安芸氏が、

「元気でいいですな。若い人は」

といったのが、海面に反響して意外な近さで聞えたことも、二人に奇妙な義務感を負わせていた。中年の恋人たちの前で、より若い恋人たちの役を、うまく演じおおせねばならないという義務感……。

砂にひきあげたゴム・ボートに海水を入れ、抑えたハゼ五、六匹を泳がせておいて、二人は山にのぼった。ひんやりした樹影の石段で、京子が息をはずませたので、博之はその手を取った。道が細いので、見晴し台には博之が先に出た。立ちどまった。

潮が退き、ヨットはキールを砂につけて、瀕死の白い巨鳥のように傾いていた。その座席に、

二つの黒い頭が、ちかぢかとよりそって並んでいた。真上からの陽ざしに海はきららかに光り輝き、親しげな二人の表情はかえって黒ずんで見えなかった。

「つまらない。島の裏側へ行こう」

言うなり、博之は京子を押しもどした。別の道を通って、反対側の砂浜に出た。京子を岸に残し、海に身を投げる。

しかしどんな力泳も、もはや彼の屈託を、まぎらしてはくれなかった。疲れはて、耳に塩水が入ったのを感じて、博之は仰向きに浮かび、孤独な太陽だけが燃え狂っている空を見あげた。島影も、海岸の白砂も、彼を呼んでいる京子の姿も、すべて逆《さか》しまになって蒼穹《そうきゅう》の端にひっかかっていた。手の甲の小さな傷を、博之はすばやく舌を出して舐めた。血と塩水の混った味わいだけが、なつかしく感じられた。

やがて、寒さが来た。歯が鳴り、頭がひりひり焦がされるのを感じながら、博之は浜にむかってゆっくりと泳いだ。全身が鳥肌立ち、顔が蒼ざめ、しびれてくるのが、はっきりと判った。

まもなく安芸氏は、東京に帰った。博之も半年のちにせまった大学受験の準備のために、以前ほど足しげくは、母娘のアパートに通えなくなった。というよりは通う気がしなくなっていた。

三月に、京子は京都女子大を、博之は東京の或る大学を受けた。入試の一時間め、博之は自分がさすがにあがっているのを自覚した。(だらしないぞ、しっかりしろ、これしきのことで)と、いくら自分を叱りつけても不安な気持はしずまらなかった。

昼休み、博之はタクシーで帝国ホテルにのりつけた。学生服のまま、食堂に通る。蝶ネクタイをつけたマネージャーが不審そうに、それでも鄭重《ていちょう》にメニューを聞きにくる。ナイフやフォーク、スプーンの一隊が白布に並べられる。白服のボーイが侍立《じりつ》する。

この年まで彼は、一人でレストランに入ったことさえなかった。それだけに大谷石《おおや》と絨毯に重々しく囲まれたここでの食事は、大学入試などとは比較にならぬ緊張を彼に強いた。それが目的だった。一時間のちに大学構内に戻ったときは、緊張はようやくゆるみ、こんどは単語帳を捧げて枯れた芝生の上を歩きまわっている他の受験生たちが、急に子供のように見えてきた。傲然と頭をあげて、博之は試験場に入った。落着きは、すっかり回復していた。

合格者のなかに、彼の名前は入っていた。しかしあの一回の食事のために、すでに帰省する経済的余裕はなくなっていた。四国に帰り、京都女子大の学生になった京子や、その母親と顔を合わせたのは、夏休みに入ってからのことだった。

京子は少し肥り、肌は白くなり、艶が出てきて、以前よりいっそう無口になったが、どこか楽しそうだった。母親はかえって少し痩せ、さらに美しくなり、以前の男っぽい様子もうすれていた。その他の変化はなにもなかったが、二人とも何となく浮き浮きしている様子が、博之には気に入らなかった。母親と安芸氏が婚約し、挙式はこの秋に迫っていることを、博之は知らされた。

ひさびさにでかけた蔦島の海岸で、博之ははじめて京子と唇をあわせた。彼にとっても、おそらく京子にとっても、これは生れてはじめての接吻だった。瀬戸内の海はあいかわらず美しかったが、去年のように子供っぽく泳ぎまわる気持には、もうなれなかった。

母親のまえで、京子はさりげなく博之の手をとったことがある。一瞬、母親の眼は光ったが、いつもの寛大な微笑が、すぐにとってかわった。

二人きりでいるとき、純潔な恥じらいの混った、つつましい満足の表情で、京子は言った。

「美津子さん(安芸氏との婚約が決まってから、京子は母親をこう名前で呼びはじめていた)はたしかにすばらしい女性よ。あたしなんか、とてもかなわないと思うこともあったの。……でも、だから怖かったのよ。あたしだけのものまで、取りあげられてしまいそうな気がして。ほんとに、あのひと、気に入ったものは何でも、すばやく、強引に、必ず手に入れてしまうのよ。それも取られた方が怒れないような、とってもうまいやり方で。娘のものだからって遠慮はしない人だもの。でも、もう安心。お母さんには、お母さんだけのひとができたんですもの。貪《どん》欲《よく》だけど母は、結婚してから夫を裏切るようなことだけは、しない人よ」

これが京子の素直な気持なのか、女らしい打算による牽制《けんせい》かは判らなかった。そこまで気をまわす余裕もなかった。はっきりしたのは、自分が、あえて京子から取りあげるほど、美津子に興味を持たれていない、という予感が、またしてもたしかめられたことだけだった。夜な夜なの夢で、このごろことに激しく彼を呼んで止まない、色とりどりの海底お花畑の幻想とも、いよいよ別れねばならぬときが来ているのだった。といって、いまさらどうしようがあろう……。

ひとつ、奇妙なことがあった。夏休みのあいだ、遅くまで母娘の家に博之がいるのを心配した彼の母親が、夜、とつぜん迎えにきたことがあった。玄関に出た美津子とのあいだに、たちまち（御迷惑をおかけして云々）という遠慮がちな表現にかくされての、針をふくんだ言葉のやりとりが始まった。もちろん美津子も、負けているような女ではなかった。襖ごしに京子と、その表面は馬鹿丁寧なしつこい会話を聞きながら、自分の無力さの、まだ親がかりであることの、たまらない屈辱を博之は感じていた。

しかし、その次に会ったときの美津子は、博之にたいしては少しも怒っているふうはなかった。だが、声も動作も、これほど優しい美津子を、博之はまだ知らなかった。その眼にはねちこい、熱っぽい光りのようなものさえ加わっていた。いつか京子が、博之の手をとったときに一瞬美津子の眼に宿った、それは表情だった。或る恐怖をさえ、博之は感じた。

もしかして美津子が自分を奪いたくなるとすれば、それは京子からではなく、自分の母親からではないのか……。

5

九月になって、博之は再び上京した。講義が終って下宿に帰ると、電話の伝言がドアの下にさしこんであった。美津子が京子を伴って上京し、いま都内の或るホテルにいる、という。帰りしだい来てくれとのことである。カバンをほうりだすと、博之はすぐ外に出て都電に乗った。二日のちに迫った挙式のために、母娘は上京したのである。

トランクの中身を、美津子は忙しげに詰めかえているところだった。毎日美容術でもしているせいか、美津子の美しさには一種妖艶なものが加わっていたが、こうした彼女を、博之はあまり好きではなかった。京子は午前中ずっと博之を待っていたのだが、とうとう待ちきれなくて、安芸氏と買物にでかけたという。

「でも、たまにはあたしたち二人きりでもいいわね。もうめったにお会いすることもないんだから」

手をはたき、長椅子になっているツインの片方に、博之と並んで腰をおろしながら美津子はいった。その理由が博之にはよくのみこめなかった。

「そりゃあ京子ちゃんとはこれからも親しくしてやってちょうだいよ。だけど家庭に入った女は、一人前の若い男のひとと、そういつもお会いするわけにはゆかないでしょ？」

婉曲《えんきょく》に別れを申しわたされているのだ、ということが、はじめてわかった。さりげない顔で、この女はとうに、自分の感情の動きを見ぬいていたにちがいなかった。あまりとっさだったので、博之は混乱した。

「安芸さんを……よっぽど好きになったんですか」

「それは嫌いというわけではなくてよ。でも、私たちの結婚には、好き嫌いよりほかに、たくさんの条件があるのよ。あなたと京子ちゃんみたいなわけにはゆかないわ」

「ぼくは……」不覚にも声がつまった。「一人前でなくとも……いままでみたいに、あなたと会っているだけでいいんだ」

子供っぽいことを言ってしまった、という恥じが、すぐに湧いた。悲痛な顔つきになってしまっていることも、自分でわかった。しかしいくら自分を叱りつけても、感情は鎮まらなかった。泣きださないでいるのが、やっとだった。

肩に、手がしずかに置かれた。もう一方の手で腿をおさえながら、

「ごめんなさいね」と、優しい声が耳もとでいった。「でも、あなたはもう一人前じゃないの……。ほら、こんなに」

よける暇もないのだった。薄いポーラの、ズボンの上から握りしめられて、博之はただただ惑乱していた。辛《かろ》うじて身じろぎすると、待ちうけていたように重い肉が、体の上に倒れてきた。眼がいつかの妖《あや》しい光りをたたえて、ちかぢかと迫っていた。その手はしかも、休みなく動きつづけているのだ。

とつぜん博之は奥歯を噛みしめて、痙攣《けいれん》する。すぐに美津子はそれを悟ったらしい。すばやい指先がベルトをとく。優しくかすれた声で「立ってごらんなさい」といって、ブリーフごとズボンをひきおろす。あまりに当然のことのような手つきなので、博之は抗《あらが》う気力もなかった。ズボンをハンガーにかけ、バスに入って、ブリーフを洗っている気配がする。すぐに出てくると、ズボンなしのみじめな恰好に困りはてている博之に、身をもたせかけて坐り、快活な口調で言った。

「あたし、汚れたものは何でもすぐ洗ってしまわないと落ちつかないのよ」

ふいにすてばちな勇気が湧いたのは、この不ざまさをつくろうには、それ以外の方法がないことに気づいてからであった。苦痛な義務を果すように、博之はおずおずと腕をのばした。ながいこと憧れた、熱い、逞しい量感を、めくるめく思いで抱きとめながら、(何でも自分のものにしてしまうのよ)と訴えた京子の哀切な声を、博之はふと思いだしたが、それももうどうでもよくなっていた。

この段階におよんでもまだ残っていた気おくれとは関係なく、彼の肉体は自然が教えた通りの行為を、正確に、機敏に、荒々しくやってのけているのであった。たちまち彼の前に、うす気味わるい華やかさと、弾力と、たっぷりの水分と、疣《いぼ》や触手や粘り気や、ざらざらした手ざわりにみちた海底のお花畑が、ついに現実のものとなってあらわれ、彼をのみこみ、からみつき、締めつけ、やがて咀嚼《そしやく》しつくすのを、博之は大波のように揺られながら、苦痛と喜びの混った感覚で、必死に受けとめていた。低い、猛々《たけだけ》しい唸りさえ、ふと喰いしばった歯のあいだから洩れた。

しかし、身をひきはなしたとたんに襲ってきたのは、たまらない自己嫌悪なのだった。（もう駄目だ。もう取り返しがつかないのだ。何ということをしてしまったのだ……）

6

結婚式に、博之は出なかった。もっとも（いまさら来てもらうのもおかしいから）という、納得のゆかない理由で、招待されなかったせいでもあった。

式の次の日、下北沢の下宿に京子がたずねてきた。この忠実な、古い恋人に、自分がいまはふしぎなほど無関心になっていることに博之は或る寂しさの感情とともに気づいていた。なつかしいが、すでに遠くすぎさった世界の、彼女は住人だった。しかも博之はいま、美津子を片鱗でも思い起させる相手には誰にも会いたくなかった。いま安芸氏の、厚い胸のなかに抱かれているにちがいない美津子……受け答えはどうしても上の空になってしまっていた。

ふいに話を止めて、京子はじっと博之を見る。「私、帰ります」というと、すばやくハンドバッグをひきよせて立ちあがる。彼の〝過去〟が、白ソックスの細い足裏を見せて急ぎ足に去ってゆくのを、博之はさすがに痛切な愛惜《あいせき》の思いで見まもった。といって、いまさら何の手だてがあろう。うかつにも博之は、今になってやっと気づくのだった。つい数日まえ、美津子のベッドにわれとわが手で葬ったものが、実は京子との、これからのいっさいの可能性に他ならなかったことを。


……そのつぎに、美津子と会ったときの情景を博之はいまでも、一場の濃い白昼夢のような感じでしか、思いだすことができないのだ。昼下りの銀座のレストランで、女と、何も知らぬその夫が待っている。博之は行きたくはないのだが、披露宴に招かなかったことの、埋め合わせをしたいと安芸氏がいって聞かないのだ。京子が学校に戻って居合わせぬことだけが、わずかな救いだった。

時間に遅れ、博之は自分を押して、青ざめ、脂汗をうかべて、冷房のきいたレストランの絨毯を踏む。安芸氏は親切に、大学の講義のことや東京暮しの不満をたずねてくる。自己嫌悪に、唇の端をゆがめながら、博之は、その年長の礼儀正しい男に、友情を感じまいと、必死につとめつづけるのだ。

それにしても、周囲の平穏さはどうしたことか。秋の雲はときおり街路に影を落し、ガラスの外を通りすぎる女たちと、白いハイヒールの脚は美しく、白髪の給仕長は重々しい動作で、純白のテーブル・クロスに銀の食器類をならべてしりぞく。自分とこの女のあいだに、あれほどのことがあった後では、世界はひっくり返っても当然なのに、いっさいが平穏であることの、なんと無礼なことだろう。

そして何よりも、美津子の平然たる、幸福そのもののそぶりの、なんと不可解だったことだろう。かすかに赤くはなりながら彼女は婉然《えんぜん》と笑ってみせ、少しかすれてはいるものの、いつもとおなじゆっくりした、優しい口調で、好きなものをとるようにすすめるのだった。青ざめ、口ごもって、苦々しい笑いを浮かべながら、博之はほんとうの孤独、男の痛切な孤独の時間が始まるのを、このとき初めて感じていた。

雪女の贈り物

1

道の両側はすべて、荒々しいコンクリートの塀だった。倉庫か学校の類だったらしく、人の気配はまったくなかった。道の隅や塀ぎわには雪が押しかためられ、街路樹の濃い影が月光に蒼ざめた石だたみを、精緻にくしけずっていた。

歩道に、少年が倒れている。幼稚園がえりらしく、頭のそばには青いバスケットが投げだされている。気をつけてみると、ほとんど声をたてぬながら、少年はたえずしゃくりあげているのだ。十五分か二十分、もしかすると三十分。するとようやく、曲り角から、誰かかるく雪をふみしめて、近づいてくる足音がする。

女だった、としよう。少年を見て、おどろいて女は走りよる。抱き起す。みたところ立派な、暖かそうな身なりの子供なのだ。

「どうしたの。気分がわるいの。お家どこ？　忘れちゃったの。まあかわいそうに」

女は少年の肩や胸の雪を払ってやる。ショールにくるむようにして、家まで送ってやろうと申し出る。


おとなしく手をひかれて、石造りの家の、鉄門の前までくると、少年はふいに立ちどまった。

「もういい」といって、邪慳《じゃけん》に女の手をふりはなす。あっけに取られている女を外にのこし、逃げるようにかたわらの潜《くぐ》りに駆けこむ。迎えに出た女中には、まったく平常通りに元気よく、

「ただいま」

と声をかけておいて、ストーヴのあたたかい二階に駆けあがるのだ。自分の部屋のドアをしめきり、窓の鎧戸を細目にあけて外をうかがう。門灯の光のひろげるおぼろな輪のそとに、女が立ち去っているのを見さだめるまでは、少年は安心しなかった。

こうした慎重な心づかいにもかかわらず、破局がやってくるのに、長い時間はかからなかった。

……その夜も、恭一は道路にすわりこんで、降りしきる雪を眺めていた。幼稚園がそんなに遅くまではあるはずがないから、きっと誘われた友達の家で、時間をつぶしての帰りだったのだろう。満洲と呼ばれていた植民地での記憶で、今しがたランプを灯した馬車が、馬蹄を響か

せながら走りさったのを見はからい、恭一は雪の上に倒れたのだ。

いつもは泣くことによって悲しみは凝縮され、ついには自分がほんとうにここに捨てられているような、甘い悲しみにひたれるのだったが、その夜はもう、嗚咽《おえつ》も喉を洩れなかった。雪は厚い毛糸の靴下をなかば埋めるまで積っていたが、身体を動かす気にはなれなかった。少しも寒くはないものの、手足の先の感覚がじんわりと薄れてきたのは判っていた。白い、霧のようなものが頭の芯からひろがって、身体中をやわらかく包みこむような感覚だった。すこしでも身体を動かせば、その霧はたわいなく破れ、はじけて消え去りそうな気がするのだ。

やがて、降りしきる雪がしだいに濃くなり、目前で何ものかのかたち――地から這い上がった巨大な人型――をとりはじめるように思われた。

両手は高くさしあげられ、夜空の中に消えている。その手が、しだいにおりてくる。両肩にかけられたらしい、かすかな感触。やがてその手には恐ろしい力がこもり、ほとんど大地に押し込まれそうな重みに、恭一はけんめいに耐えている。そのうちに力がつきる。意識はゆるやかに遠ざかってゆく……。

その夜、路上で眠りこんでしまった恭一を、抱き起した婦人は、すでにいちどおなじ場所で、おなじ少年を拾った記憶を持っていた。なにもいわぬまま、婦人は恭一をもういちど家まで送ってゆき、必死で拒んだにもかかわらず、むりやり家に入りこんでしまったのだ。おどろいて出むかえた母親に、婦人は前後二回のいきさつと、心理学の立場からみた恭一の教育のされかたについて、意見をのべた。わるいことに婦人は、奉天《ほうてん》女子医専の学生で、たぶん学校で児童心理学あたりを習ったばかりなのだった。〝愛情の不満〟とかいった、ありふれた言葉を彼女は口にしていたようであった。

蒼ざめた母親を残して若い女客が帰ったあと、恭一はまたしてもきびしい折檻《せっかん》を受けねばならなかった。叱っては逆効果だ、という女医の卵の忠告は、徹底的に無視された。寒中でも、水をはった浴槽に漬けられ、上から蓋をかぶせられるのが、折檻の普通の手段だった。

(何不自由なく育っていながら、乞食みたいな真似をして、家名を汚した)

というのが、母親の憤激の理由であった。

こんな奇妙なくせが、どうしてついたのだろうか。はじめ偶然にそうしたことがあり、見知らぬ婦人に優しくとりあつかわれたのに、味をしめたのだろうか。この「遊び」はほんの三、四回しか試みられなかったように覚えている。女医の卵に二度めに拾われたときが、その遊びのさいごだった。

植民地の都市のことで、日本人の交際範囲はかぎられているので、それからも恭一は、ときどき彼女と顔を合わせることがある。小学校に入ってまもなく、校門を出たとたんに、頭の上から呼びかけられたときには、何よりも恥しさが先に立って、いっさんに走って逃げた。そのつぎに、子供無料の満鉄ガソリン・カーで向いの席に坐られたときは、一所懸命窓の外に気をとられているふりをしていたが、もうこちらを見ていないだろうと思って振りむいたとたんに目が合い、ほほえみかけられて、いっさいの努力は水の泡だった。そのときの話では、彼女はもう医専を卒業し、満鉄附属の診療所に勤務しているとのことだった。

国民学校と改称された小学校の六年生のとき、恭一は学校のスケート大会で転倒し、手首をくじいて、しばらく診療所に通ったことがあった。待合室の患者のなかに恭一をみつけた白衣の彼女が、順番をとばして整形外科につれていってくれ、それから診療に行くたびに少しずつ言葉をかわすようになった。森村優子という名前も、恭一はそのとき知った。

しかし、この親しさも半年とはつづかなかった。とつぜんに優子は診療所から姿を消し、他の医師にきいても、あいまいな表情で首を横に振るだけだった。何となない羞恥心から交際は秘密にしていたので、日本人社会のゴシップに通暁《つうぎょう》している母親に、聞くわけにもゆかなかった。たぶん内地へ帰って、結婚でもしたのだろう、と、恭一はあきらめの気持とともに、いちばん常識的な結論を出した。朝鮮海峡にアメリカ潜水艦が出没しはじめ、関釜《かんぷ》連絡船への空襲もあって、在留邦人がそろそろ浮き足だちはじめたころだった。

優子を見なくなって時がたつと、彼女のイメージはしだいに、雪のなかに忽然《こつぜん》とあらわれて恭一を抱きおこした、最初の出会いの記憶にまで逆行していった。そのころ読んだ昔ばなしか

ら思いついて、恭一は彼女をひそかに、

〝雪女〟

と呼んでみたりした。診療所での白衣姿からの連想も、むろんあったにちがいない。とにかく彼女がとつぜん雪煙になって、夜のなかに再び消えてしまった、という想像は、内地で結婚しているという解釈よりも、はるかに恭一には快いのだった。

2

八月の光が、駅前の広場を白く燃えあがらせていた。ほうりだされたルックザックや、トランクや、ボストンバッグが、廃墟にころがる石材のように、広場に濃い影を落していた。停車場のなかに人々は入りきれなくて、広場のプラタナスの葉かげや、石づくりの銀行や公司《コンス》の底に、へばりついて坐っていた。すでに朝から、人々はそうして、彼らを日本内地へ少しでも近く運んでくれる列車を待っているのだった。

巨大な広軌の蒸気機関車が向日葵《ひまわり》の咲いた柵の向うを、地をゆるがせ、荒い白い息と無煙炭の薄い煙を吐きながら、満員の客車をひいて、何本も南下していった。流線型カヴァーをとりさっていっそうずんぐり見える特急アジア号の、冷房にくもった一等車の窓には、どうしたことか軍服姿がことにめだった。簞笥《たんす》や机や人間までをむきだしに積んだ無蓋貨車が、慌てふためく怪獣のように走り去った。しかし一本の列車も、駅前で待ちくたびれている在留民間人のために、止まろうとはしなかった。

十時すぎに、城外の兵営のあたりで、乾いた小さな銃声がひびいた。

正午すぎ、遠慮がちなどよめきが駅の事務室で湧いた。それはだんだん広場にまでひろがってきて、ついには一人のこらず立ちあがった。協和服を着た男たちの何人かが、

「嘘だ」

「謀略に乗るな」

などと叫んだ。しかし大多数の人々は、すぐにざわめきを止めて、黙りこんだ。

現地人の下級駅員がひとり、何がなし昂然とした身ぶりで歩みだし、駅の石段の上から腰に手をあて、群衆を軽蔑的に眺めた。制帽をぬいで足もとに叩きつけ、ひろいあげて、丁寧に埃をはらってから両手でかぶりなおし、唾をはいて、構内に消えた。

一時ごろ、ずんぐりした双発の輸送機が、低空で駅の上を飛び去った。翼にはほとんどの子供たちがはじめて見る、赤い星のマークがついていた。

こうして恭一たちの上に終戦はやってきた。その反応はまことに素早くあらわれ、夕方、隊をくんで家にもどってみると、玄関はこじあけられ、衣類や目ぼしい道具は根こそぎ掠奪《りゃくだつ》されていた。畳の上には布靴の足あとが点々と印され、床の間には黒い高粱《コウリャン》飯の大便が、はやくも

乾きかけて残っていた。

やがて街には自動小銃を肩にかけたソ連兵士が、昂然と歩きはじめた。日本人から奪い取った時計を五つも六つも毛むくじゃらの手首にはめているのもいたが、動かなくなると、ネジを巻くことを知らぬらしく、こわれたと思って捨ててしまうのだった。

青や赤のソ連軍票が氾濫し、満洲国紙幣の価値は下落した。父の会社は閉鎖されたので、とにかく何かして働かねばならなかった。しかし四十を過ぎていた父は、環境の変化に急には適応できないらしく、一日部屋にとじこもっていた。もっとも、働きざかりの男が街を歩いていると、ソ連兵の「使役」にあい、そのあとトラックに積みこまれて、シベリアまで連れてゆかれる恐れがあった。

掠奪をまぬがれた家では、衣類や家具を出入りの現地人に売り、その金で食糧を手に入れているようだったが、恭一たちにはその方策もなかった。毎日が高粱や粟《あわ》の粥で、弟はみるみる痩せてきた。

(今こそ、自分が何とかしなければならない。もう一人前なんだから)

そう恭一は決心した。隣りの町の知りあいからリヤカーを借りてくると、自分の持っていた百冊以上の本を積みこみ、弟にあとを押させて、千代田通りに出かけた。日本風の名をつけたこの通りは、終戦後は国際的な物々交換の、一大露天市場と化していた。戦時中は隠されていたたちがいない、米から肉から野菜から、衣類家具にいたるまで、そこにはあふれていた。

通りの端にリヤカーをひきこんで、板をのせ、二人は本を並べた。弟が自発的に供出したマンガの本もあった。

戦争が激化しない前に買っておいた、上等な装釘と紙質、贅沢な色ずりのそれらのマンガ本から、まず売れはじめた。「のらくろ」「冒険ダン吉」「長靴三銃士」「タンク・タンクロー」などという本が売れてゆくたびに、五円から七円、十円と値上げしてみたのだが、売れゆきはいっこうにおとろえなかった。夕方には恭一の持っていた、海野十三、南洋一郎の冒険小説まで、あらかた売れていた。

饅頭《マントウ》と餃子《チヤオツ》、飴煮の山査子《さんざし》、火腿《ホアトイ》、腸詰などを買いこんで（何よりも必要な米には、つい気がつかなかった）リヤカーをひいて帰りながら、恭一は昂奮して弟に命じた。

「幹夫、おまえは明日から友達の家をまわって、マンガをできるだけ集めてこい。山査子を一つずつでもやればいい。おれたちが本を売るんだとは、言うなよ」

「うん、そうする」

と、弟ははりきって答えた。

子供の商売の成功を見て、母親が意欲をとりもどした。そのころの満洲は電力だけは豊富で、どこの家でも煮炊きには電熱器を使っていたが、どうしても使いすぎになるために、安全器のヒューズがしばしば飛んだ。現地人が見逃していったヒューズの大きい一巻が床下に残っているのを発見して、彼女はこれを小さく巻きかえ、本のそろそろ少くなったリヤカーの上に並べて、二人に売らせたのである。この見通しは外れた。大ていの家はヒューズの代用に銅線をまきつけて、ヒューズつけかえの手間を省いていたからである。

ソ連軍が一夜のうちに撤退し、翌朝は国府軍が入城してきた。軍票は通用しなくなり、新しい紙幣が発行された。引揚げもはじまって、一地区ごとに集結しては停車場から無蓋貨車につめこまれ、コロ島にむけて移動していった。恭一の友人の誰かれも、櫛の歯をひくように欠けていった。

引揚者の携帯口糧として、乾パンを小さく包装しなおして売ったら、ということを考えついたのは母親である。これは当った。現地人の工場から、つてを求めて木箱入りの製品をおろしてもらい、丈夫な紙で手ごろな大きさに包みかえ、朝、千代田通りに持っていって、三人で売った。呼び声は、すぐ出るようになった。売上げは母親の払下げ軍服の胸にかくし、昼ごろにはもう家に帰った。母親は頭を、宝塚の男役のような断髪にしていた。

午後は乾パンと、ロール紙の匂いが家にあふれた。父親もようやく元気を出して、詰めかえを手つだうようになり、やがてリヤカーをひいて千代田通りに出てゆくようになった。一家の生活は、やっと軌道に乗った。あとは明日にも舞いこんでくるかもしれない、引揚命令を待つばかりだった。

一安心すると同時に、体におびただしい疲労感がつきまとうのを、恭一は感じた。やがて微熱が出た。冬がきて、どこの家でもストーヴに火を入れだしたころだったので、あるいは風邪かもしれなかった。しかしある朝おきてみると、顔が蒼ぶくれにむくみ、脚も少し太くなっていた。

それでも恭一は、まだ大した病気だとは思わなかった。朝の乾パン売りは止めたが、午後、乾パンの大箱ひとつと交換に手に入れた例のリヤカーをひいて、製パン工場にまで受領に行くのは、恭一の役目だった。

真向から、雪が吹きつけていた。リヤカーは軽かったが、風の圧力に抗するのが大変だった。防寒帽のなかにも雪は容赦なく舞いこみ、顔の皮膚は冷たさを通りこして、痛かった。こんな夜にしばしば、奥地から体ひとつで逃げてきた開拓団員の凍死者が出るのだ。朝、千代田通りにでかけるたびに塀の前や道のすみに見かける、凍てついてころがった、黒い襤褸《ぼろ》の塊りに、恭一はもう慣れていた。

母をのぞいた一家のあいだで、彼らへの同情の言葉は禁句になっていた。あぶなっかしいライフ・ボートにやっとつかまっている一家に、さらに一人でも加われば、転覆は必至だった。それを知りながら同情の言葉を掛けるのは、一家にとっても溺れる者にとっても、罪悪に等しいことを、一家の、少くとも男たちは、直観的に知っていた。

まだ夕方だったが、街路は暗く、乱舞するおびただしい雪片に四、五メートル先しか見えなかった。ちらと窓ごしに、暖かそうな火の色があらわれ、たちまち見えなくなった。電線に切り裂かれる風の悲鳴だけが、絶えまなく響いていた。

ふいに呼びかけられて恭一は、道に落していた眼をあげた。防寒帽についた毛皮の耳おおいのせいで、くぐもって聞えたが、その声の特徴を忘れようはずはなかった。

つい眼の前に〝雪女〟は立っていた。

雪女は毛皮フードつきの、ウエストで締まった長外套《シューバ》と、長い柔かい革の長靴をはいていた。赤い肩章《けんしょう》には雪が積っていたが、端や角からのぞく星や金条は、かなり華やかだった。国民政府軍女将校の、それも相当に高い階級の制服に、それはちがいなかった。

「働いてるの？　えらいわね」そう優子は言った。

3

医師が引揚げた日本人経営の医院を接収し、そこに優子は住んでいるらしかった。指定の時間が待ちきれなくて、恭一は午前中にいちど、雪晴れの道を歩いて、ヤマト・ホテル裏側にある、堂々たる石造りの、その医院を眺めにいったりした。見つかるのが怖くて匆々《そうそう》に引きかえしはしたが、あいかわらず微熱のある頰を打つ風の冷たさが、今日はむしろ快くさえ感じられた。

——革張りのセットのある十二畳ほどの応接室で、紫檀の卓をはさんでむかいあってから、優子は珍しいものでも見るように、しげしげと恭一を見た。二年まえまでの記憶にある、そして昨夜の軍服姿の優子は、大柄な、年取った女のように思えたが、いま目前で彼を観察しているショート・カットに白いチャイナ・ドレスの女は、むしろ骨細の、きかぬ気らしく意志の強そうな、はっきりした目鼻立ちをしているものの、まだ若い女だった。

「大きくなったわねえ、二年のあいだに」

というのが、率直な感想をこめたらしい、優子の第一声であった。

阿媽《アマ》が、烏竜茶《ウーロン》の道具を置いて出ていってから、恭一はやっと優子の境遇の変化について、質問する勇気をとりもどした。

「ふふん」と優子は鼻の先で笑って、忙しくタバコを喫いながら話しだした。あまり気軽な口調なので、恭一はつい日常茶飯の行為を聞いているように錯覚していたが、仔細に聞くと、話の内容はかなり劇的なものにちがいなかった。

「……満鉄の診療所につとめているうちに、あたし何となく、満足できなくなったのよ。あそこは日本人に対する治療施設はととのっているけど、中国人（チュングレン、と優子は発音した）に対して、ぜんぜん粗末な取扱いをしてたでしょ。あの診療所だけではなくて、東北地区ではどこでもそうだったわ。あたし、それに抵抗を感じたのね。

誰に訴えても理解してもらえなかったから、あたし満鉄を辞めて、国境の、中国人だけを診る診療所にうつったの。そこで一年ばかり働いているうちに、何というか、まあ思想が変ったのね。大陸での戦争が、どう考えても、日本の、中国にたいする侵略戦争だとしか思えなくなってきたの。

そこであたし、巡回診療班にくわわって、前線に出たわ。そして、チャンスを見て脱走して、わざと敵の捕虜になったの。向うはずいぶんびっくりしたらしいわ。疑われて、三日間ぐらい縛られてた。でも、私の気持がわかると、掌をかえしたように大事にされちゃった。すぐに将校待遇よ。

それからずいぶん働いたわ。私としては、中国の兵隊さんを手当してあげるのも、日本の兵隊さんを手当してあげるのも、どちらも労働者階級なんだからおなじだと思った。ただ、その時においては、中国側を助ける方が早く戦争を終らせるためにいいことだと思ったし、だいいちここは中国の領土だから、自分の国を守るために戦っている方を助けるのが正義だと、そのときは思ったのよ」

「そのときは、というと、いまはどうなんですか」

と恭一は聞いた。軍国主義教育で育てられた恭一は、優子の勇気と理屈には感服しながらも、なお日本人でありながら敵の味方をした、という点にあきたらぬものを感じていたから、今では彼女はきっと、祖国を裏切ったことを後悔している、というにちがいないことを、期待したのだ。

しかし優子の答えは、またしても少しちがった。

「つまり……国民政府軍は、必ずしも自分の国を、人民を、守るために戦っていたのではなかったのよ。日本の軍閥とおなじにね。中国人民を守るためにほんとに戦ったのは……。まあ、今は止《よ》しとくわ。とにかく、そんなことで、あたしは国民党書記の少将と結婚して、瀋陽《しんよう》(と、奉天がそのころは改称されていた)地区駐屯軍に配属されて、終戦と同時にやってきたわけよ。夫？　もちろん中国人よ。年も、まだ若いわよ。三十三かしら。どんな顔してるかって？　うふ」

急に笑いだして、

「どうしてそんなに気になるのよ。あたしの方こそ、さっきから、あなたについて気にかかってしかたがないことがあるのよ。顔が少しむくんでるんじゃない。お小水はよく出る？　熱はどう？」

いきなり立って、ひんやりとした掌を、恭一の額にあてた。おどろいてのけぞったが、優子は意にも介さなかった。まじめな声になって、「やっぱりね。ちょっと、診察室にいらっしゃい」

有無を言わさなかった。隣りの、医師が居抜きのまま引揚げたらしい診察室に通され、検温され、木槌で膝頭を叩かれた。あげくのはてはビーカーを渡され、これに採尿してくるように命ぜられた。

恥しさのあまり、手洗いに入っても、尿はなかなか出なかった。やっと少量をとって、しぶしぶ診察室へ入ってゆくと、優子はもう白衣を着込んで、待ちかまえていた。スルフォサリチル酸の結晶を落し、古風な窓からの雪の反射にかざして待つ。……みるみる尿は白濁した。

「蛋白が出る」と、硬い表情になって、「あなた、腎臓炎よ。誰にも診てもらわなかったの」

「うん」と恭一は辛うじてうなずくことができただけだった。

「このままだと、尿毒症おこして、死んでしまうわよ。内地にも帰れなくなるわよ。とにかく安静にしてらっしゃい。塩気を止めて、水をのむこと。蛋白質もひかえて、卵は黄身だけ召しあがれ。……明日からここに、朝おきてすぐのお小水を持って毎日いらっしゃい。お家は近かったわね。他の病院とちがって、ここでは国府軍の将校だけ診ているから、薬もあるし」

すぐ好意に甘えるのが図々しいような気もし、尿を調べられる恥しさもあって、恭一はためらった。すると、優子はとたんに居丈高《いたけだか》な、厳しい口調になった。

「命令よ。あたしはいま、占領軍の将校なのよ。日本人が反抗すれば、党裁判にかけて銃殺することだってわけないのよ。よく覚えておいて、毎日くるのよ」

優子の小柄な身体には、人が変ったような威厳があった。爛々《らんらん》とした眼のかがやきに、恭一はすくみあがった。心そこから怖かった。

4

翌日、母親がおろおろしながら礼を言いにいったときは、彼女は横柄《おうへい》にうなずいただけだった。三日めにはいつもの通り機嫌がよくて、カルシウムを打ったあと、隣りの応接室へ通して、菓子を出してくれた。

午前中は衛生兵、とでもいうような兵士が二人つめていて、国府軍将校を診察する優子の手だすけをしていた。部下や患者にたいしては優子ははなはだ手きびしく、流暢《りゅうちょう》な中国語で叱りつけていることがしばしばある。上半身裸の患者は直立不動で、震えながら叱られている。

採血した注射器を、のんき者の衛生兵が、そのまま煮沸消毒器にほうりこんだ。とたんに鋭い中国語の罵声が飛んで、優子は自分より背の高い兵士の頬を、革スリッパで殴りつけた。

診察机の引出しに薄い、小型の、貝をはめこんだ拳銃が無造作にほうりこんであるのを、彼女がカルテをとりだすとき後に立っていて、恭一は見たことがある。そのほっそりとした体つきと、白いチャイナ・ドレスがよく似合うことをのぞいては、彼女にはどこにも雪女らしい優雅なところはなかったが、約束を破ったものの生命をたちどころに奪いかねない雪女の凄味だけは、たしかに優子も十分にそなえていた。

夫の党書記は毎朝出勤するので、いちどしか顔を合わせたことはなかったが、ほっそりとして背の高い、金ぶち眼鏡をかけた、気が弱くて育ちのよさそうな男だった。彼と結婚しているといっても、彼女の戸籍抄本が日本から取れないせいもあって、正式のものではないことは、優子自身が喋った。なにかの用事で昼ごろ帰ってきて、応接室の恭一を見つけ、「小孩《シヨオハイ》……」何とかと言いかけたので、恭一は屈辱を感じたが、優子が（親戚の子だ）というと、うなずいて出ていったことがある。

「うちの主人《ジヤングイ》も、そろそろ思想を変えないとどうにもならないな」

裾のスリットから白いつややかな腿を見せて、たかだかと足を組みながら、優子が大声で言ったので、恭一はぎくりとした。気をゆるしているのか見くびっているのか、このごろ優子は恭一に会うと必ず自分の属している国民政府の悪口を言い、国府軍の腐敗を攻撃するのである。ほんとうに中国人民のことを考え、将来の中国を指導するのは、いまは圧迫されている八路軍《パーロ》、つまり中国共産党だという。毛沢東、という名前を、そのとき恭一ははじめて教えられた。ときには演説口調になることもある。誰にも言えない考えを、日本語で、いずれは内地に引揚げてしまう少年に語ることで、優子は少しは鬱憤が晴れるのかもしれなかった。

「ぼくは先生を、雪女と呼んでいたんだ」

と、或るときその大演説の一段落をみはからって、恭一は言ってみた。優子は目を大きく開き、あらわに好奇心をそそられた表情をした。いつも雪のなかに、突然あらわれたからだ、と恭一は説明した。

「ふうん。……そう思われるの悪くないわ。じゃお別れのときも、あたし静かに雪のなかに消えなきゃねえ。でも、あなたは詩人だわ。いや、甘えん坊の坊やのときからそれは判っていたわよ。それがあたしときたら、詩とかブンガクとかに、ぜんぜん弱い女なんだなあ。昔からあたしは、何か書いたり創ったりすることより、忙しく動きまわって世のなかを具体的に変えていく方が好きだったもの。今でも、そうしたやり方で、中国の人たちの生活を少しでもよくしようと考えているんだけど、あなたみたいなロマンチックな考え方のできる人が羨ましいわ。で、雪女はどんなことするの？　ふうん。お嫁さんになったり、お金持にしたり、ねえ。でも困ったな。あなたをお金持にしてあげたくても、引揚げのとき内地には一人千円しか持って帰れないんだし、こんなお婆ちゃんじゃ、お嫁さんになってあげるわけにもゆかないし。腎臓の治療？　そんなことどこの医者でもやってくれるわよ。雪女さんじゃなくとも」

腎臓炎の経過はいいようだった。年が変ると、全身のむくみも、熱っぽさも退き、膝蓋《しつがい》反射も旧に復した。しかし治ってしまい、優子に毎日会いにくる口実がなくなるのも、惜しいような気がした。でなくとも引揚げは円滑に進みはじめ、すでに在留日本人の四分の一は帰国していた。恭一の住んでいる町に引揚命令がくるのは、明日かもしれなかった。いや、今日にも家に帰ると、両親が大騒ぎで荷造りしているかもしれないのだった。

「先生は、やっぱり引揚げないんですか？」

と、日なたにしゃがみ、湯をタライに取って、せっせと洗濯している優子と向いあって、恭一は聞いた。雪は黒く汚れて固まり、杏の蕾もまだ固いままだが、一足先に春が来たように暖かい或る午後だった。

「もちろんよ」手を忙しく動かしながら、顔もあげずに優子は答えた。「まだここで、したいことが山ほどあるもの」

赤くなり、どぎまぎしながら、恭一はどうしてもタライの前からはなれられないのだった。水面が光りを反射して、彼の位置からは優子の、チャイナ・ドレスの股間が、はっきりと見えるのだ。ガーターというのだろうか、コルセットというのだろうか、ゴムやボタンや金属の複雑な構成が、彼女の柔らかい腿を、パンティを、きつく括り、締めつけている。苦しいほど恭一は、勃起している。しかも優子は、彼の顔をちらちらと見ながら、ときにはいっそう股をひろげるようなことをするのだ……。

「でも、いつかは帰るんだろ」声がかすれた。

「そうね……。五年か十年して、中国が平和になり、私の考えているとおりの政治体制が実現したら、帰ってみてもいい、と思うけどね」

「じゃ、ぼくそれまで……」ためらい、思いきって恭一は言った。いつか雪女のことに触れて、優子が（お嫁さんにもなってあげられないし）といった言葉にたいする、これは考えぬいたあげくの回答のつもりだった。

「それまで、結婚しないで、待っててあげるよ」

優子は手をとめ、彼の目をしげしげとのぞきこみ、それからタライの上にのけぞって笑いだした。その笑い方はあまりにも無遠慮で、恭一は灼かれるような屈辱を覚えた。青空が彼女の口のなかにまで、きらめいているように、恭一は感じた。

5

しかしこのときから、恭一と優子のあいだに交流する感情には、微妙なニュアンスが加わったようにも思われた。優子の性格は自分でもよく、

「あたし、男みたいな性質なのよ。ぐずぐずするのは大きらい。何でもさっぱりしたのが好きよ」

と言うように、たしかに女らしくはなかったが、一方鉄火《てっか》な姐御肌《あねごはだ》の、乱暴な優しさとでもいったものが、荒っぽさのなかに感じられぬでもなかった。その優しさは決してべとつかず、

この旧植民地の空気のように快く乾いていたが、それがかえって奇妙な女くささを、感じさせもするのだった。

二人きりで応接間にいるとき、優子は軽い揶揄《やゆ》の調子で、いわゆる少年の悪習を、彼もするのかと聞いたことがある。恭一は狼狽して、あいまいな返答を探しまわったが、すると優子は高飛車にきめつけるのだった。

「何も恥しいことないじゃないの。あなたの年では、それをするのが普通なのよ。男ばかりじゃない。あたしだってするわ。あたりまえのことだもの」

それからたちまち、誤った羞恥心がどれほど国民の医学的知識の普及をさまたげ、健康に害をおよぼしているかという趣旨の、いつもの大演説にうつるのだった。おかげで恭一はそれ以上の追及をまぬがれ、安心はしたが、一方では微妙な落胆をも感じた。彼女の質問や、彼の狼狽がかもした部屋の空気の、一種の性的な緊張を、彼女の演説が別の方向にそらし、ときほぐしてしまったからである。この演説があるいは、彼女自身の羞恥をも打ち消すためだったのかもしれないということまでは、恭一はそのときはまだ思い及ばなかった。

しかし性的な話題を持ちだして、二人のあいだに同じ微妙な緊張をかもしだすのは、きまって優子のほうだった。「私は主人《ジャングイ》なんかに束縛されてはいないんだから、結婚という形じゃなしになら、教えてあげてもいいわよ」とまで口をすべらせたこともある。またもや恭一は、とっさに適切な答えができず、すると彼女も大いそぎで、性の解放についての演説をぶちはじめて、一瞬の沈黙が生みだした気まずさを和げようとつとめたのだが、さすがにこのときは優子も慌てていることが恭一にもはっきり判った。しかし恭一の心はむしろ、彼女の珍しく赤らんだ頬や、高い透明な調子に変った声のほうに奪われつくしていた。彼女の慌てようは、むしろ美しかった。

つまり、優子のもちだすきっかけには、いつも大義名分があるわけなのだった。そのきっかけが、優子の彼に対する異性としての好意からであるにせよ、単なる好奇心からであるにせよ、それをつかまえて、男と女との当然の関係にまで持ちこめないのは、ひたすら恭一が不慣れなせいなのだった。

しかし、つぎのことはどうなのだろう。医学上の知識にくらい恭一には、いまでもそれが、純粋に医学的に必要な検査だったのかどうか判らない。とにかく優子は、内地までの引揚旅行にも耐えられるていどに、完全に腎臓炎が治っている、という診断を下すまえに、一つしなければならぬ検査がある、というのである。尿道カテーテルで空気に触れぬ尿を、膀胱から直接に取り、残尿の有無をしらべ、蛋白や糖を最終的に調べる必要がある、というのである。

そうした予備知識はまったくなかったので、或る午後診察室でとつぜん、ズボンを脱ぎベッドに横になるように言われたとき、恭一がためらうと、たちまち例の、兵隊を診つけているのでくせになったらしい、別人のような恐ろしい声で叱りつけられた。

「患者のなんか、見て面白いとでも思ってるの」

と、彼女は言った。しかし予備知識のなかったことも、ことさら事務的なこのやり口も、恭一の羞恥心のためには、かえって楽だったのにちがいなかった。

カテーテルを挿入されるのは、想像もしなかったほどの痛みだった。声をたてたらまた怒れそうだったので、恭一は枕をわしづかみにし、涙と汗を流しながら耐えた。最初からおびえきっていたせいもあって、性的な感覚など、いささかも伴いはしなかった。

検査をおわって、優子が手を洗いながら、いつもの優しい声になって言ったときに、その感覚は初めて、内部から、わずかに生じたのである。

「医者として言うんだけど、あなたの体、そのままでは大人になってから不便よ」

「……不便って」

「誰でも若いうちはそうなんだけど、ちょっと手術するだけで治るのよ」戻ってくると、ことさら乱暴にピンセットで触れて示しながら「ここの余分な皮膚を切るだけだから、痛くもなんともないわ。外国では男の子が生まれると赤ん坊のうちに手術するところもあるらしいけど、日本でもそうしたらいいと、あたし思ってるわ。……ついでだから、あたしが切ってあげようか」

ちょっと笑って、

「雪女の、プレゼントとして」

「プレゼントがそれだけじゃいやだ」と、とっさに勇気を回復して、恭一は言った。

「何がいいのよ」

「いつか言ったじゃないか。主人《ジャングイ》なんかに束縛されないから、って……」

優子の眼が、彼とからみあった。いま意味が通じた、とその瞬間、恭一は戦慄《せんりつ》して感じた。

しかしひそかに恐れていた怒りの代りに、さざなみのような微笑が、やがて優子の表情にひろがるのだった。

「考えておきます」と、むりに医者としての威厳をつくろおうとする表情で、優子は言った。

「だけど、もちろん、完全に治ってからあとのことよ」

――思いがけないこうしたいきさつで、その日、恭一は〝割礼《かつれい》〟を受けることになったのである。

手術はあっけないほど簡単だった。局部麻酔のために、こんどは痛みもまったくなかった。

繃帯《ほうたい》は四日めに取られ、糸を抜かれ、初々しい桃いろの先端がはじめて空気に触れているのを、恭一はおどろきと、ふしぎな感動で眺めた。

傷口はまだ完全には治らず、入浴もしばらくは禁じられていたが、新しい自分をたしかめると同時に、恭一のうちに内部をつき動かす喜びの感情とともに、みなぎる力の感覚があふれるほどに感じられはじめたのは奇妙であった。五つ年下の弟はいままでよりさらに幼く、子供っぽく思え、父や母が急に年老いて、力弱い存在のように思えはじめた。そして〝雪女〟の、医師としてでなく女としての、例の贈り物にたいする期待さえ、いままでとはくらべものにならぬ切実な、具体的な、逞しく攻撃的な性格のものに、急速な変化をとげていることに、恭一は或る満足とともに気づくのであった。この自信には、あるいは、彼の腎臓炎がどんな運動にも耐えられるほど完全に治っている、と最終的な診断をうけたことが、加わっていたのかもしれなかったが。

優子にたいしても、何となく見下すような調子で話をしている自分を、ふと自覚することもあった。逆に言えば優子がときに、保護してやらねばならぬ、力弱い、哀れな存在のようにも感じられる瞬間もあった。

とつぜん恭一の住む地区に、引揚命令が下った。一家は沸きたって、荷造りをはじめた。恭一だけが動転していた。隙を見て、優子のところに駆けつけた。

優子はおどろいた様子もなかった。

「そう、おめでとう。早くてよかったわね」

「明日の朝、五時に出発なんです」

自分の気持が通じぬのに、恭一はいらだった。しかし優子は落ちつきはらっていた。

「じゃ、もう帰って、荷造りしなければ」

阿媽《アマ》が例のように、お茶を持ってくる。恭一は泣きだしたくなった。〝約束〟を優子は忘れているのではないか。しかし、彼女が恭一を見る目の色には、彼の内心を見すかし、彼がどうしても言いだせないのを、楽しんでいるような気配さえある。

恭一は、自暴自棄になった。まずい言い方だ、この言葉は自分がいま欲していることを十分に言いあらわしてはいない、とはげしく感じながら、つぶやいた。

「先生は、考えておくと、いったことは……」

「判っているわよ」とタバコに火をつけながら、優子は彼を見ないで言った。「あなたの言いたいことは。御希望をかなえてあげるのも簡単よ。何でもないことだもの。でもあなた、それをするためにだけ、ここに飛んできたわけ？」

恭一は詰った。それだけではないことはむろんだった。しかし、うまくは言えなかった。

「それであなたは、それをしてしまえば、さっさと、気楽に、あたしのことなど忘れて内地へ帰れるというわけね。あたしと別れたくないために来たんじゃなくて、そのことだけが欲しいんだものね。……子供のくせに、わがまま勝手で自分本位なところだけ、すっかり一人前の男になってしまった、というわけか。女だ、というだけで人を馬鹿にして、圧《お》しつぶしにかかる、あの厭な男に……。でも、しかたがないわね。そうした厭らしい部分も身につけて、だれでも、だんだん男になってゆくんだものね」

優子はあくまでも平静だった。ようやく恭一は、自分の錯覚に気づいた。それをしないで別れる心残りはむろんあったが、同時に優子とそれをしてしまえば、彼女と別れないですむような気が、一時わかれたとしても何年かのちの再会が決められるような、奇妙な錯覚に彼は浸っていたのだ。だが、そのことも、どうしてもうまく表現することができなかった。

「違う……違うんだ」と恭一は口ごもった。するとふいに、涙があふれてきた。とにかく情なくなって、恭一は言った。

「でも……もういいんです」

優子は立ち、ハンカチを取ってきた。恭一に渡して、暖かみの感じられる声で言った。

「それがいいわね。あなたはまだ、もっと勉強しなければならないんだもの。そんなこと知るのは、早すぎるわ。……何もあわてることはないのよ。日本に帰って、適当な年齢になったら、誰かやさしい女のひとが、きっと教えてくれるわよ。なにもあたしでなくとも」

声の調子が、わざとらしい陽気さを帯びた。

「明日、朝五時といったわね。駅に行くときはこの家の前を通るんだから、あたし診察室の窓をあけておいて、見送ったげるわ。でも、手を振ったり声を出したりしちゃだめよ。……じゃ、もうそろそろお帰りなさい。主人が戻ってくるから」

恭一が立つと、優子も立った。気がついてみると背の高さはほとんどおなじだった。自分の涙の生ぬるい塩辛さを、恭一は何度となく飲みこんだ。

「さようなら」と優子は言った。「体に気をつけて、もう病気はしないようにね」

「……さよなら」と、恭一はやっと言った。

6

恭一が日本に引揚げ、中学に通いだしてまもなく、中国大陸では国府軍と中共軍の戦闘が再開された。国府軍に属しながら中共に内通していた一派が検挙され、吹雪の朝、銃殺された血なまぐさい噂も、しばらく後の引揚者から恭一は聞いた。その中に日本人の女医がいなかったかどうかは、誰に聞いてもつまびらかでなかった。

さいごに見た優子は、まだ薄暗い通りの、大きくあけはなった診察室の窓のなかで、スタンドの仄明《ほのあか》りを背に、ガウンに毛皮のオーヴァーを羽織って立っている、どこか孤独な姿だった。石だたみに蹄を鳴らしながら駆けぬける馬車の上の恭一と視線が合った瞬間、優子の目はたたしかに、無限の名残り惜しさをたたえて、大きくみひらかれたように思われた。たちまちその姿は薄闇に遠ざかったが、そのたたずみの孤独な表情が、恭一のうちで、やがて銃声とともに雪の上に倒れるイメージと、ともすれば結びついてしまうのだった。

――そのときから五年がすぎ、十年がすぎ、何の音沙汰もむろんないまま、たちまち二十年が流れた。中国は優子が考えていたとおりの政治体制となり、日本との往来も、ほそぼそとながら復活した。しかし優子は、その生死さえ、いまだに不明のままなのだ。

今では恭一は、家庭をもち、曲りなりにも文筆で生活できるようになっている。それでも東京に夜、まれに雪が降ると、その白さのなかからとつぜん優子があらわれるような錯覚におちいることがある。夢想のなかの優子はまだ女子医学生で、恭一はやはり青いバスケットをさげた幼稚園帰りの少年なのだ。さくさくと雪を踏んで近づき、優子は彼を抱きおこす。

「どうしたの。気分がわるいの。お家どこ？　忘れちゃったの。……まあかわいそうに」

柔らかい掌が肩や胸の雪を払う。匂いのいいショールが、あたたかく彼をつつみこむ……。

野性の蛇

1

駅前の広場には一団の日本人があつまり、ボストン・バッグやルックザックの上に腰をおろして、列車を待っていた。満洲と呼ばれていた植民地での生活に見きりをつけて、少しでも内地の近くへ移動しようとしている人々であった。すでに朝からそうして待っているにもかかわらず、軍人やその家族をつんで大いそぎで南下してゆくどの列車も、彼らのために停車しようとはしなかった。

正午に、内地からの放送があった。

夕方、人々はふたたび隊をくみ、市の端の兵営にむかった。正午の放送を境として情勢は急変したので、現地人部落の近くにあるめいめいの自宅に帰るのは、危険だと思われたのである。

乾いた道の両側の、泥や煉瓦《れんが》の低い家からは、湧いたように朝鮮人や現地人があらわれ、心なしか肩を落して歩く、身なりだけは立派な百人たらずの行列を、あらわな敵意と軽蔑の眼で見守っていた。

「ねえ、もう汽車にのらないの？」

と、九歳になる弟が、小さなルックザックの鈴を鳴らして歩きながら、汗ばんだ手をあずけている実夫《じつお》に聞いた。

「うん、止めたんだ」

と、中学二年生の実夫は、彼らを見物している同年輩の現地人の少年たちを、いちいち睨み返そうと努めながら、かすれた声で答えた。（日本が敗けたんだ）とはどうしてもいえなかった。それから、空いている方の拳で、顔をはげしくこすった。濡れた土ぼこりで、手の甲は黄いろに染まった。

あらかたが満ソ国境に出動して、わずかな留守兵が残っているきりの兵営の、保革油《ほかくゆ》と汗の匂いがこびりついている寝台で、実夫といっしょに寝ながら、ふと弟がいった。

「ねえ、ぼく、殺されるの？」

実夫は半身を起した。

「どうしてだ」

「さっき便所に行ったとき、団長の小父ちゃんが、兵隊さんに頼んでいた」

「何といって」

「女と子供は、みんな殺してもらうって」

「…………」

「ねえ、殺されるの、痛い？」

「痛くはないさ。だけど、もう黙っておいで」

　夜の兵営は静まり返っていた。弟の柔らかい、熱い体がしばらくひくひくと動くのを、掌でおさえてやりながら、実夫はじっと目を凝《こ》らして、闇に跳梁《ちようりよう》するさまざまな不安のかたちを見定めようとつとめていた。

　終戦はこのようにして、実夫の上にとつぜん降ってきた。事態だけはよく判っていたが、対応してどちらに動こうにも、中学二年生という彼の年齢は中途はんぱだった。現地人暴徒や、やがて進駐してくるであろうソ連兵による屈辱を未然に防ぐため、女子供を始末するとしても、彼はそもそも始末する方なのか、される方なのかさえ判らなかった。大人たちにしても、彼らの年齢の若者にたいしては、あるいは（子供のくせに）といって叱りつけ、あるいは（もう一人前なのだから）といって過大な期待をするところから見ると、どうとりあつかえばいいのか、迷っているのにちがいなかった。

　三日間、人々は兵営でくらした。やがて城内に入ってきたソ連兵の先遣隊《せんけんたい》から、武装解除と兵営接収の通告があり、現地人の暴動もなく市内が平静なことをたしかめて、在留邦人たちはいちおう自宅に戻ることになった。出ていったときとおなじく行列をくんだ人々が四日ぶりに家にちかづくと、黒っぽい人影がばらばらと走り出て、現地人部落の方へ逃走した。

留守番の男たちも放送を聞いて逃げだしていたので、家々はみごとに荒らされていた。鍋釜から箪笥の中身にいたるまで、家財道具はほぼ完璧になくなっていた。まったく手をつけられなかったものといえば、家族のアルバムと、日本語の本だけだった。

やがて街には、地から湧いたようにソ連兵の軍服があふれた。大ていは十六、七の少年で、灰色の淡い髪を丸刈りにし、大きすぎるばかりか、乞食のように汚れはててみすぼらしい、灰色かグリーンの制服をつけていた。鼻を垂らしていたり、頭にいっぱい吹出物をこしらえていたり、栄養失調でいまにも倒れそうに弱りはてていて、勝利者、といった感じは彼らにはまったくなかった。それでも円盤弾倉のついたチェコ機銃だけはめいめいに肩からぶらさげ、腰のまわりには重そうに弾帯をまとっているのだった。

彼らはシベリアあたりの刑務所や、少年院から、いきなり銃をもたされて、戦線に送られてきた連中らしかった。日本人たちはおびえきって玄関を釘づけにし、家にとじこもったが、囚人兵たちは囚人兵で、ウールの小ざっぱりした軍服を着た、少数の正規兵を怖れて、おどおどしているらしかった。そしてこの両者ともに、小粋な身なりがいっそう凄味を感じさせる、拳銃を腰につったただけで敏捷な身ごなしのゲー・ペー・ウー（赤軍憲兵）にたいしては、猛禽《もうきん》に会った兎のように慴伏《しょうふく》しているのだった。

肩章《けんしょう》をきらめかせ、ウエストを高くくくった長外套《シューバ》をつけ、手入れのゆきとどいた長靴をはき、飛行機のように垂直尾翼のついた高級車で、ロシア人経営のフォーリン・ストアにのりつけてくる高級将校たちも、ゲー・ペー・ウーの兵卒には頭が上らぬように見えた。しかし彼らの神殿の、究極の頂点に位置しているのは、街のいたる所に額縁入りのその肖像がかかげられている、大きい鼻をもち太い髭をたくわえた、見るからに精力的な、いっさい勲章をつけない軍服姿の、中年男らしかった。

使用人といっては現地人の阿媽《アマ》がいるだけの四人家族に、芝生のある八部屋の洋館は広すぎ、無用心すぎた。冬のはじめの或る朝、一家は阿媽に暇を与え、略奪からまぬがれたわずかな身のまわり品だけを馬車《マーチョ》につんで、市の中心部にある、社宅の長屋にひっこした。男の姿がみつかると、ソ連兵の使役に会い、そのままシベリアに連れてゆかれる恐れがあるので、移転のあいだ父親は、荷物のあいだに身を埋めるようにしていた。気位が高く、まだ四十すぎなのに古武士ふうのポーズを取ることの好きだった父親に、これはかなりの屈辱だったにちがいなかった。傍には弟だけがのり、母親と実夫は風呂敷を持って、馬車のあとをついて歩いた。広々とした街路にはうすく雪が降り、ときおり陽がさすと、黄金の板をしきつめたようにまぶしくかがやいた。

長屋では高い塀の上にさらに有刺鉄線をはった囲いのなかで、十五家族の日本人が、肩をよせあってくらしていた。男たちは毎日あつまっては、昂奮して議論し、隠匿していた日本刀や猟銃を持ちだして手入れをするかと思うと、ふいに意気消沈して黙りこくってしまうのだった。

しかし武装した略奪者たちに、塀をのりこえて入ってこられてしまうと、日本人たちは無力だった。略奪者はほとんど、朝鮮人の通訳に案内されたソ連軍の下級兵士で、隠匿軍用資材の摘発という口実をかまえて立ち入ってくるのだった。子供にだけは何もしなかったので、急を告げに走りまわるのは、少年たちの役目になっていた。急報をうけると一家は押入れの床をあげ、床下にもぐりこんで、頭上を荒々しく歩きまわる軍靴の響きに耳をすませていた。昼から夕方まで入っていて、恐る恐る上ってみると、畳の上には大きな靴あとがいくつも印されているのだった。

ふいに踏みこまれた、隣の家族が、実夫たちの部屋に逃げこんできたことがあった。よく肥った若い娘を連れた、五人家族だったが、女たちのなかで彼女だけが、髪を切っていなかった。あとを追ってすぐ、自動小銃をかまえた三人のソ連兵士が入ってきた。いずれも二十歳前後の、丸刈りの囚人兵だった。

二人は自動小銃を腰だめにして、人々を部屋の隅に追いやった。一人が、その若い娘の腕をつかんで、襖をあけはなった隣の八畳につれていった。その腕を娘はふりきって、隅の便所に逃げこんだ。しかしすぐに、肩をつかんでひきもどされた。えくぼのある、むっちりした娘の手と、金いろの毛の生えた大きい掌が、一瞬からみあったのが、妙に生々しい感じで実夫の眼に入った。あいだの襖が閉め切られたが、力が強すぎたのか端の一枚がはずれて、こちらに倒れてきた。

悲鳴と、抗《あらが》いの物音がつづいた。襖のはずれた空間から、もつれあう二人の足や、体の一部がちらちらと見えた。「大丈夫《モージノ》、大丈夫《モージノ》」と、なだめているらしい兵士の、深いバスも聞えた。この瞬間に、その声の音楽的な響きは、いかにも不釣合だった。

娘の母親が、隣室へ駆けこもうとして兵士につきもどされた。母親はよろけて膝をつき、顔をおおって泣き叫びはじめた。その夫の表情は見えなかった。父親が実夫の肩に手をかけ、隅々に氷の残った二重ガラスの窓の方をむかせたからだ。

自動小銃の発射音が、腹の底にひびいた。娘の父親が、ソ連兵につかみかかろうとする姿勢のまま、くずおれて前に倒れた。綿のはじけた丹前の背に、ゆっくりと血がにじみだした。残りの者は、凍りついて動けなくなった。

2

囚人兵の数がへり、正規兵がふえて、治安はわずかに回復した。それでも夜は全市に戒厳令が布《し》かれ、翌朝は射殺された死体の一つ二つが、道路に凍りついていないことはなかった。現地人の乞食の凍死体は、幼いころからいくつも見て、実夫は慣れっこになっていた。しかし最近は、奥地から逃げてきた日本人開拓者の死体が、それも一家何人かがそろって飢え、凍え死にしているのが目につき、するとふいに、自分もいつかはああなるかもしれないという恐れが、現実的なものとなって迫ってくるのだった。

その恐れは、杞憂ではなかった。日本人在留民は、衣類や家具を現地人に売って、赤や青のソ連軍票を手に入れていたが、徹底的な略奪をうけていた実夫の家には、売るべきものもなかった。昔から彼の家に出入りしていた現地人の大豆商に、陳という四十前後の独身男がおり、一母親が指につけていた宝石と引きかえに彼から貰った大豆と米と、凍らせた豚の半割りで、一家はほそぼそと生命をつないでいたのだが、その食糧もそろそろ残りすくなになっていた。

郊外の留守宅も、陳があずかってくれたばかりか、ことに実夫を可愛がって、ときどきは土で包んだ家鴨《あひる》の卵や、茶でくすべた飴いろの鶏などを、わざわざ彼を名ざして届けてくれることもあったが、いつまでも彼の好意にすがってばかりはいられなかった。民族性かもしれないが、陳の親切には何となく粘っこさがあって、いささか気持が悪くもあった。それに引揚げの順番がいつになるか判らないのでは、とにかく、自活の道を講ぜねばならなかった。

陳に頼んで手に入れた薩摩芋を、父親は母に命じて輪切りにさせ、大豆油で揚げさせた。砂糖水を煮立て、揚げた芋を浸してからめ、近所から交換で手に入れた黒胡麻をふりかけた。できあがったものを、紐をかけて首から下げられるようにした机の引出しにならべ、

「昔なつかし。大学芋。揚げたて三コ一元」

と大書した紙を、押しピンでその前面に垂らした。悲愴なまでの一大決意を、父親がかためていることは、実夫たちにも判り、一家は何となく緊張した。たしかに、使役やシベリア連行の恐れこそは少なくなったとはいえ、何十年も勤め人の暮しをし、つい先ごろまで軍需会社の若手重役として羽ぶりのよかった父親にとって、知人の多い市内での芋の立ち売りは、かなりな苦痛であるにはちがいなかった。

繁華街に出てから首にかけるのだ、といって、父はその引出しを、風呂敷に包ませた。玄関で、一家そろって「行ってらっしゃい」と送り出す習慣が、半年ぶりで、しぜんに復活した。

「お父様、またお金持ってくるんだね」と弟が言った。「九十箇あったから、九十元？　いいなあ、お金」

「ばか。三つ一元だから、三十元さ。それくらいの計算もできないのか」

「ぜんぶ売れないで、少し残ったらいいな。お母様、そしたら食べていい？」

「そんなことを言うものではありません」

たしなめながらも、母親も何となく幸福そうだった。

思ったより早く、父はオーヴァの肩にわずか雪をのせただけで、上機嫌で帰ってきた。弟は急いで風呂敷を解き、中が空なのを見て、子供っぽい落胆の声をあげた。

「いや、売ってきたのではないよ」とことさら父は快活な声で言った。

「市場まで行ったとき、社長の家が近くにあることを思いだしてね。半年ぶりに挨拶に行ってきたのだ。手ぶらでもいかれないから、芋は土産がわりにおいてきた」

一瞬、沈黙があった。残り少ない一家の食糧に、あの〝商品〟が貴重でないはずはなかった。

「そう、それはようございましたね」と、母は陽気に言った。実夫は黙って立ち、裏庭に出た。お座なりに調子を合わせることは耐えられなかった。

結局、父親は首から机の引出しを吊って人ごみに立つことができなかったのだ。「大学芋はいかがです」という呼び声を、どうしても出せなかったのだ。それをああいう口実をもうけて、家族の手前をつくろっている。どうしたことか母親まで調子を合わせている。あれだけの大学芋を揚げるのに、母ひとり昨夜は眠っていない、というのに。

父親を、その見栄、虚偽、無責任を、はげしく憎んでいる自分を、実夫はこのとき生まれてはじめて自覚した。男であるがゆえのその弱さを思いやって、父親を理解し同情するほどには、さらに母親の、夫にたいするいたわりまで考えるほどには、実夫はまだ大人になっていなかった。

それ以後父は、二度と〝商売〟に出ようとはしなかった。ばかりか、実夫にむかって、ときどき謎をかけるようなことを言うのであった。

「どこの家でも、いまは子供が外に出て働いているようだね。……中学生ともなれば、立派に一人前なのだから。いや、食べることは一人前以上だね。まったく」

実夫は逆上した。すぐにでも机の引出しをかかえて街に飛びだしたかった。たしかに街には、ロシア兵士相手に勇敢に商売をしている少年や女の子の数が増えていた。その主な商品は、母親や姉が、縮緬《ちりめん》の長襦袢や絞りの訪問着などを切って作ったスカーフだった。ロシア兵士は絹を喜んで買い、一枚売れば三十元から五十元にはなったが、実夫の母の箪笥は終戦直後の略奪で、あらかた空になっていた。

中学の同級生で、家も近所なので親しくしていた友人の山田恭一が、彼ら兄弟の持っている本を買いに来た。恭一はいちはやく自分と弟の本を市場に持っていって商売をはじめ、さいきんでは友達から本を安く仕入れては、売っているのだった。ほっそりと痩せていて、喧嘩が弱く、いつも文学書ばかり読んでいるのでかすかに軽蔑していたこの友人の、思わぬ商才と実行力を眼のあたり見て、実夫はいっそう競争心をそそられた。

本を売った金で久しぶりに買った白米の膳を、一家が囲んでいるときに、ふと父がつぶやいた。

「ああ、これに納豆があればなあ。この熱い白い御飯に、刻み葱と味の素をパラパラかけた奴を、上にのせて食べれば、内地へ帰ったような気がするだろうなあ」

終戦になると、どうしたからくりか、食糧はたちまち豊富に出まわりはじめたが、納豆だけはまだ売られていなかった。

「納豆は、大豆から作るのかしら」と父に確かめたとき、実夫の頭には、家をあずけている陳が、大豆の買いあつめを本職にしていたことが浮かんでいた。

陳は細い眼にいつも柔和な笑いを絶やさない、よく肥った男だった。髪は短く刈りあげ、いつも身ぎれいにしていて、現地人特有の大蒜《にんにく》や葱くさい体臭も消えるほどに、安香水をふんだんにふりかけていた。大豆の麻袋《マータイ》が堆《うずたか》く積んである土間で、陳は細い眼をいっそう細くして、実夫を迎えた。このごろ彼はもとの得意先の満鉄をソ連軍にのりかえて景気がよく、寝室のベッドの下には赤いソ連の高額軍票をしきつめて隠し、その財産を守るために、枕の下には拳銃を忍ばせて寝ている、という噂だった。

「主人《ジャングイ》、相談があるんだ」と、実夫はいった。戦時中からの習慣で目下に対するような口調になるのを、改めようとしてはいるのだが、なかなか直らなかった。

柔和な陳の眼が、ふいに鋭い光を放ったのは、ここで納豆をつくって売り出したら、という実夫の提案を、半分ほど聞きおえたときである。箒を持ってぼんやり立っていた現地人の小僧を蹴っとばすようにして追いだすと、声をひそめた。

「いい考えと、思うよ。でも、この話、他の人には黙っていてほし」

蒸した大豆を藁に包み、温突《オンドル》の中に入れておくと、納豆は簡単にできた。製品をためしに机にのせて、陳の店の前においておくと、日本人がなつかしがって寄ってきて、たちまち売り切れてしまった。

翌朝、実夫は陳とつくった三十包みほどの納豆を、父親が大学芋を入れた引出しに並べ、千代田通りの市場に行った。多少の気恥ずかしさもないことはなかったので、弟をつれていった。引出しを胸にかかえて立っているだけで、声も出さないのに、若い男が立ちどまって、

「いくら」

と聞いた。

「……五元です」

まだ値段は決めていなかったのだが、とっさに実夫は言った。高すぎたかな、と一瞬思ったが、青年はだまって十元に通用する軍票をつかみだし、二包みを持っていった。生まれてはじ

めて知った商売の面白さが、たちまち実夫をとらえ、羞恥心を圧倒してしまった。

三十包みを売りつくすのに、十五分とかからなかった。売上げの半額を陳に渡したが、彼は彼で、店の前の机にさらに大量の納豆を並べていた。実夫はいったん家に帰り、利益を父に渡すと、母と弟をつれて陳の店にもどり、土間の大竈《おおがま》で何度も大豆を蒸し、小僧にも手伝わせて湯気の立つ豆を藁につつみ、温突いっぱいに敷き並べた。正午にこうして仕込んでおくと、明日の朝には灰白色の厚い粘質菌膜でおおわれた納豆ができることを、実夫は先日の実験で確かめていた。陳は仕事で留守だったが、製品の三分の一は陳の店に並べ、三分の二は実夫たちが売って売上げの半額を渡す、ということに、話はついていた。

それから数日は戦争のような忙しさだったが、父親だけは手伝おうともしなかった。彼は社宅のなかから木屑や針金、古釘をあつめてきて、終日、移動式の屋台のようなものをこしらえていた。木ぎれでたくみに、二つの車輪まで作りあげたのである。父親のアイディアは、この車つき屋台の上で、湯気の立つ蒸し饅頭《マントウ》を売ろうというのである。製法のかんたんな納豆などはいずれ競争者があらわれて売れ行きが落ちるにちがいないが、蒸し饅頭は製法がむずかしいし、屋台もたやすくは手に入らないから、きっと長つづきして、引揚げの日まで喰いつなげるにちがいない。自分が本気で商売をはじめれば、毎日いくらか儲かって、月にはいくら入り……。

毎晩父親がくりかえすその計算を、さいごまで聞いているものはなかった。終戦までは金のことを口にしさえしなかったのに、と批判めいたことも、言う気力がなかった。父親をのぞいた三人は、早朝からの労働につかれはてていて、申しあわせたように居眠ってしまうのだった。

父親の予言の、否定的な面だけは実現した。十日ほどのちの或る朝にかぎって、納豆はいつもの半分も売れなかった。そのうちに顔見知りの、現地人の乞食が、少しはなれたところで、四元で売りはじめた者がいると教えてくれた。翌朝からこちらも四元にしたが、売れゆきは半減のままだった。陳の店に置かれた分は、まるきり残っていた。父はしきりに先見の明をほこったが、彼の蒸し饅頭業はまだ実現せず、一家の生活はやはり納豆にかかっているのだった。

車つき屋台はすでに完成したが、かんじんの饅頭製造がうまくゆかなかった。毎日父親は上質のメリケン粉を練り、どこからか手に入れてきたイースト菌や、重曹でふくらませ、ストーヴにかけたヤカンの湯気で蒸した。試食しては首をひねり、

「おかしいな。どうもうまくゆかない」

とつぶやくのだったが、実夫にも弟にも、ひとつも食べさせてはくれなかった。

うすうすながら実夫は気づきかけていた。大学芋で失敗して以来、父親にははじめから、露天商人として街頭に立つ気持などありはしなかったのだ。ただ彼は家長として威厳を保つために、どうしても家族の経済的期待を、自分につないでおく必要があったのだ。あるいはそれは、彼自身の自尊心のために必要なだけかもしれなかった。しかもこの実験は、甘党の彼がひとり

公然と甘味を食べる口実ともなった。

だから熱心に車つき屋台をつくり、饅頭製造の実験にはげんではいるものの、実験の成功は遅ければ遅いほどいいのにちがいなかった。実験に熱中しているふりをしながら妻子の稼ぎで喰いつないでいるうちに、引揚げがはじまり、内地へ帰れれば、願ってもないことなのだった。

それに気づきはしたものの、このごろどこかおとろえて元気がなく、すべてに遠慮がちになった父親を、実夫はもはや憎む気持にもなれなかった。かすかな軽蔑と、寂しさの感情を味わっただけだったが、いまは父親についてのこの発見を、以前のように母親に打ち明けることもためらわれた。

ある大雪の朝、街から忽然としてソ連兵の姿は消えうせた。昼すぎには、かわってグリーンの制服を平べったい感じで着こなした国府軍が城内に入ってきた。同胞の軍隊をむかえたというのに、現地人たちは別に喜ぶでも、昂奮するでもなかった。日本人たちはしばらく家にとじこもっていたが、新しい進駐者がソ連兵とちがってまったく乱暴をしないのを見定めると、安心して出歩くようになった。通行人を無差別につかまえての使役はあったが、シベリアに連れてゆかれる心配は、もうなかった。

納豆に芥子《からし》をそえて売ることを実夫が思いついて、売り上げはまた少しのびた。引揚げも地区別にはじまり、春とともに日本人の表情にも、明るさがよみがえりはじめた。

そうした或る日、困りきった表情の陳が、化粧の濃い、若い女をつれて、とつぜん実夫の家にやってきたのである。

3

玲子という、その大柄な日本女性は、陳の言葉によれば、国府軍司法部の若い中尉の〝愛人《アイレン》〟だという。愛人といえば聞えはよいが、要するに短期間、特定の男だけをパトロンとする娼婦である。家族と行き別れになってしまい、家のないこの娼婦を、陳の知りあいの、しっかりした日本人の家庭にあずかってもらえ、と、パトロンの将校が陳に命令したのだという。陳はまだ独身だということで、彼の家に同居させることは、将校は好まぬらしい。

その将校というのを、実夫は見知っていた。司法部将校たちは日本人歯科医の、二階六畳と八畳を接収し、八畳で寝起きし、六畳を取調べ室に使っていたが、歯科医の肥った息子が実夫の友人だったので、遊びに行ったときに、取調べの様子を見聞きすることもあった。

毎日、汚ならしい服装の現地人や朝鮮人、まれに日本人がひっぱってこられ、尋問されている。国府軍の兵士が手錠をかけられて連れてこられることもある。机を叩いて中国語でどなる声や、鞭で殴る音が、襖ごしに聞えてきたりする。

将校たちはみな二十一、二で、ふだんは日本の憲兵より物優しい感じだった。育ちが良さそうで、酒も飲まず、品行も大体において方正だった。玲子の相手の中尉は、中国人には珍しく手の甲までも毛が生えて、彫の深い顔立ちで、いかつい体に軍服がよく似合い、実夫たちに憧れに近い感情で見られていた。鞭で殴る役の曹長は、苦労人らしい四十男で、二人の少年に拳銃の扱い方を教えてくれたり、

好花不再開《ハオハアプーチャンカイ》
好日不再来《ハオジープーチャンライ》

ではじまる流行歌を、奇妙な節まわしで歌ってくれたりしたこともあった。

六畳一間の狭い暮しにさらに若い女がくわわることは、大変であるには違いなかったが、当時はどこの日本人の家庭も似たり寄ったりの窮屈な暮しをしているのだった。納豆の製造販売と家事に、人手も足りなかった。さんざ世話になった陳の申し出は断わりにくかったし、うっかり断わって、その司法部将校に告げ口されては、という恐れもあった。逆に、彼女を同居させることでその将校の好意を得て、引揚げの順番を少しでも早くしてもらえれば、というわずかな期待もあって、その日から玲子が、実夫たちの四人家族に加わることになったのである。

中尉の従卒が、玲子の荷物を運びこんできた。それだけで押入れはいっぱいになり、部屋のなかまではみだした。指をついて玲子は、

「よろしくお願いいたします」

としとやかにいったが、これは最初の日だけの猫っ被りであった。

置いて貰えれば家事の手伝いもするといったのに、翌朝は、実夫と弟と母とが納豆を取りに行くために起きだしても、隅に敷いた自分の布団のなかで、まだ寝息を立てていた。もっとも、まだ外は暗かったから止むを得なかったが、そのためにいつもはもっと遅くまで寝ている父も、起きださなければならなかった。母は複雑な表情をうかべ、父も困りきった顔をしていた。男と女の、そして夫婦の細かい感情までは実夫にはわからなかったが、家族が出払った六畳で父とその女だけが寝ているのが、奇妙な事態であることぐらいの、理解はできた。

市場から帰ってくると、父は箒を持って、手持無沙汰に庭に立っていた。部屋では女が、壁に吊した鏡にむかって、大げさな化粧の最中だった。母が、少々の皮肉をこめて、

「ずいぶんごゆっくりね」

といったときも、女はふくれっ面《つら》でしばらく返事をしなかった。ややあって、

「あたし、顔を洗う前は、誰とも口を利きたくないんです」

と、ぶっきら棒に答えた。

この女を憎まねばならない、と母に対するその口の利きようを見て、実夫はそのときやっと決めた。にもかかわらず、彼の眼は女の膝から下のすらりとした長さ、水磨ぎしたようにさえざえとしたその素脚の肌いろ、その上の、果実を並べたような丸やかな、左右に体重をうつす

たびに重たげに揺れる尻、その形をいっそうはっきり浮きださせるスカートの皺、などから、どうしてもはなれないのだった。

ほとんど口も利かぬまま母の用意した食事をすますと、女はハンドバッグをとり、唇を紙でおさえ、ハイヒールを鳴らして颯爽と出ていった。家族は顔を見あわせた。

「何だあれは」と父がいった。

「両親をなくした女《ひと》と聞いたので可哀そうに思ったんだけど、あれではねえ。子供の教育上もよくないし」

母が子供の前で他人の悪口をいうのを、実夫ははじめて聞いた。

実夫だけはなぜか、皆に伍して玲子の悪口をいう気にはなれなかった。そして、そのことで、午後のあいだずっと家族への微妙な裏切りを感じつづけた。

その夜、夕食の時間にも女は戻ってこなかった。戸締りをし、寝静まってから、女は酔って帰ってきた。母が戸をあけてやると、ふらつきながら坐りこみ、隅にかさねてある布団を坐ったまま手だけで敷いた。オーヴァを足もとに投げ、チャイナ・ドレスをぬぎ、ガーターを外した。すぐ横にそびえ立っている円柱のような二本の、みごとな脚を、実夫は狸寝入りをしながら、薄目をあけて、用心のために点《つ》けている暗い補助灯の光に見た。女はすぐに、軽いいびきをかきはじめた。

──明けがた、床のなかでひさびさに自分を瀆《けが》してから、実夫はやっと眠りに入ることができた。

翌晩、おなじように女が遅く帰ってきたとき、母とのあいだにちょっとした緊張があった。よろめいて実夫たちの枕もとを通ろうとしたとき、母が珍しくきつい声でとがめたのである。

「男の子の頭の上を、通らないで下さい」

おとなしく女は裾をまわったが、布団に身を投げたときの乱暴さは、根太《ねだ》が揺れるほどだった。

それから玲子は、家族といっさい口を利かなくなった。翌晩は、女は帰ってこず、翌々日の午後、中尉の従卒が人力車《ヤンチヨ》にのって、荷物を引き取りにきた。一家はようやく静かになり、父と母のあいだにただよっていた一種のとげとげしい雰囲気も消えた。しかし、実夫だけは、安心しながらも一種の気落ちをも感じているのだった。中尉に撮ってもらったらしい、玲子のショーツ姿の写真が、押入れの隅に落ちていたのを、実夫は拾ってポケットに隠しておいたが、人目のないときにその写真を出して、太腿のみごとな肉づきと、そのあいだにはさまれた三角形のショーツの皺を眺めると、眼の下と耳朶《みみたぶ》が熱くなり、頭はかすみ、肉体は充血し快く疼《うず》きはじめて、どうにもならなくなるのだった。玲子の肌と香水の匂いが、押入れの隅などにわずかに残っているのを敏感に嗅ぎつけて、一瞬胸のつまるような気持を味わったこともあった。

家族のなかでは、玲子は彼にだけは、好意を持ってくれたように思われた。証拠はなかったが、彼にむける視線の柔らかさにそれは何となく感じられた。自分も、彼女の愛に値しないとは思われなかった。風呂に行けぬので、家族はときどき土間にタライを出し、湯を張って交代に行水するのだったが、このごろめっきり肉のついてきた自分の胸や、太くなった腕まわりの逞しさを眺め、腹から腿にかけての彫刻のような微妙な肉づきを眺め、母親ゆずりの白い、なめらかな皮膚が筋肉の表情にいっそう陰翳《いんえい》を加えているのを見ると、この肉体の美しさだけでも十分玲子をひきつけることができるはずだ、という青年らしい自信が湧いてくるのだった。

数日のち、友達の家から帰ってくると、母も弟もいず、父親が気抜けした面持で坐りこんでいた。少し前、司法部の例の曹長が、聞きたいことがあるからちょっと来てくれ、といって母と弟を連れていった、という。一そろいだけ残っていた和服にコートを重ねて、雪のなかに出ていったきりだ、という。

そのまま八時になっても、九時になっても、二人は帰ってこなかった。

「迎えにいこうか」

と実夫は何度もいったが、そのたびに父親が止めた。父親はわりあいに平静な顔をしていたが、これが内心の心配を押し殺していたのか、無気力なあきらめに早くも達していたのかは、実夫には判らなかった。その平静さが実夫には冷酷にさえ感じられたが、あるいは父親は、妻に対する愛情を自分で打ち消すより他に、自尊心をまもる方法がみつからなかったのかもしれない。

時がうつるに従って、ある不吉な想像が、実夫のうちにどす黒くひろがってゆくのだった。二月まえ、この部屋の襖ひとつ向うで、隣家の若い娘をソ連兵が押し倒していたのとおなじ情景が、娘とソ連兵の顔だけが母親と司法部将校にすりかわって、払っても払ってもよみがえってくるのだった。あれ以来隣の娘は一歩も外に出ず、隣人に顔も見せない。頭がおかしくなったのだ、という噂もある……。

十一時ごろ、外で弟の泣き声が聞え、凍りついた窓ガラスをほとほとと叩く音がした。開けると、母親が、比較的落ちついた表情で立っていた。コートに積った雪を落し、上って、父親の前に坐った。

何もいわぬまま、羽織をぬぎ、着物を肩から落す。背中を見せる。久しぶりに見る、白い、脂づいた、美しい背中には、おびただしいみみず腫れが、縦横にのたうっていた。

玲子が、母のことを悪しざまに、何かしら国府軍の悪口を言っているというふうに、告げ口したらしい。はじめ玲子は隣の八畳にいたが、母が着物の上から打たれだすと、さすがにこちらを見ないまま、外に出ていった、という。

報告しおわると、母ははじめて涙を出した。とぎれとぎれにこう言った。

「こんな情けない目にあわされて、帰ったらお父様にも叱られるでしょうから、帰り道で死のうかと、何度か思いました。……子供だけはお届けしなければと思って、帰ってきましたけど……もし死ねとおっしゃるのでしたら、すぐにでも死にに参ります」

実夫は緊張と恐怖に震えながら父を見た。父は「死ね」というだろうと思った。そのあとで、近所から日本刀を借りて、中尉と女に復讐しにゆくにちがいない、と思った。暴行されこそしなかったものの、鞭打たれる、という屈辱は、その大きさにおいてはそれほど変りないはずだった。癇癪持ちの父親の、終戦このかた抑えに抑えていた怒りは、いまこそ爆発するにちがいなかった。いま母は、一家の生死と名誉についてのいっさいの決定を父に委ねている……。

意外なことに、父は怒らなかった。実夫がかつて聞いたことのないほど優しい声で、母親をなぐさめていた。わざわざ外に出て、タオルに雪をつつんできて、背中を冷やしたりしてやっていた。

その夜一晩、実夫は一睡もしなかった。両端に寝ている父と母も眠れないらしかった。しかし翌朝起きたときは、両方ともまったく平気な顔で、ふだんより陽気なほどだった。あまつさえ三人が納豆を売りさばいて戻ってきたときには、部屋には父の手で、朝食の仕度ができていた。父が炊事をしたのも、実夫がはじめて見ることだった。柔らかすぎる飯を食いながら、しかし実夫は、いっこうに有難くなかった。まだ大人になりきっていない感情で、実夫が父に期待していたのは、こうした無器用な心づかいなどではなかった。

（父親が復讐しないならば、誰がやる。……自分しかないではないか）

と、ふと凶暴な思いにかられて、実夫は昂奮したりした。

いっそう腹立たしいことに、あの逞しい中尉に母が白い背を見せて（実際は着衣の上から、曹長が打ったのだが、実夫はその場を勝手にこう変えて想像していた）鞭打たれている図は、ふしぎに美しく官能的に思えてしまうのだった。もちろん今は、そんな呑気なことを言っているときではなかった。ともすればその〝美しく官能的な〟光景の想像にのめりこんでいってしまう自分に眼を閉じさせるためにも、復讐を考えることが彼には必要なのだった。

しかし誰に、どんな方法で、と考えると、実夫はいまだに自分の気持をつかみかねた。もしできさえすれば、のことだが、司法部の中尉に対しては自分の気持を統一するのは比較的簡単だった。成否は問わず、自分も死ぬかくごで、何かの武器をもって、躍りかかってゆけば自分の気は済むわけだった。母を鞭打った若い、逞しい中尉が、こんどは逆に血に染まって倒れる想像は、ふしぎに彼を魅《み》した。戦争末期には、中学生は中学生なりに、あと二、三年すればどうせ特攻隊に入って死ぬ、と考えていたのだから、死ぬ決意を固めるのは難しくなかった。

問題は玲子だった。同胞を売った密告者を残しておくのは片手落ちに思われたが、といって、彼女をこの世から消滅させるのも惜しかった。あの長い脚、肉づきのいい尻と胸、つややかな髪、半ばひらいた唇、その全身から発散する、胸いっぱいに吸いこみたくなるような、甘い女の匂い……それを思いだすと、実夫の気持は愛と憎しみにひきさかれ、苦痛なまでに混乱した。しかも中尉とちがって、血まみれの玲子はいっこうに魅力的にも、官能的にも思えないのだった。

いちばんいいのは、(大丈夫《モージノ》、大丈夫《モージノ》)となだめながらソ連兵が隣家の娘にしたとおなじことを、彼女にもしてやることかもしれなかった。しかしそのことで、彼女がそれほど不幸になるとも信じられなかったし、何よりも自分がまだ女の肉体を知らない、という気弱さもあった。さらに困ったことは、玲子を思うさまいたぶってやる、という甘美な想像をめぐらしているうちに、復讐したら死んでもいい、という決意が、しだいにあやふやになってくるのだった。

ときどき実夫は、母を鞭打たせた張本人としてよりも、自分をこれほど迷わせ、苦しめる女として、玲子を憎んでいる自分を発見したりした。玲子のことがちら、ちら、とでも頭をかすめでもするたびに、甘やかな思慕にみちて確実に頭をもたげる自分の肉体の一部を実夫は憎み、ついには世のなかの女ぜんたいが憎らしくなったりした。

「女など自分は一生愛さない。絶対に」

そう口走るはしから、玲子のことを気の狂いそうなほど考えているのでは、どうしようもなかった。苛立ちのあまり、実夫はときどき、わけもなく弟を叱りつけて泣かせたり、父親に突っかかってゆくこともあった。

……父親にしても、もちろんのことながら、ことにあの事件以後は、自分を抑えぬいているのだった。そのはけ口はいつも母への癇癪となってむけられるのだが、今度ばかりはそうもゆかなかった。しぜんに子供たちに、それも主として実夫に、風あたりは強くなった。とげとげしい言葉のやりとりがいっそうお互いの感情をたかぶらせ、ついに実夫は、禁句を口に出してしまったのである。

「家族を、養ってもいないくせに」

父親の顔が土気色になった。蒼筋《あおすじ》が額に浮きだし、唇のはしが目立って震えた。癇癪の爆発する前兆の、父親のこの表情を、実夫は終戦後しばらくぶりで見た。父親にたいする怒りや憎しみの感情と同時に、かすかななつかしさ、頼もしさをも、このとき実夫は感じた。

「出てゆきなさい」と父親は静かに言った。

「この社宅は、まだお父さんの名前で借りているのだ」

あるいはこの言葉こそ、自分に踏切《ふんぎ》りをつけさせるために、実夫が無意識に待ちのぞんでいたのかもしれなかった。黙って押入れをあけると、実夫はオーヴァを着、手袋をはめた。母と弟は、ぼつぼつ始まった引揚げの、人員登録のために、日本人会事務所へ出かけて留守だった。

4

勢いこんで出てきたのは、実は陳を当てにしていたのであった。というより、陳がいつも枕の下に入れている拳銃のことが、頭にあったのだ。取りあつかい方は、曹長から教わって知っている。納豆の仕込みに来ている母と弟が帰ってのち、夜、陳の店をたずねてゆけば、昔から彼を可愛がってくれたあの中国人は、きっと泊めてくれるだろう。

しかし明朝になれば、家へ帰れというにちがいないから、陳が眠りこんだのをみすまして、今晩のうちに何とかあの武器を手に入れるのだ。そして、明日の夜は夕方から司法部将校宿舎の物陰に身をひそめて、あの中尉を待ち伏せる。家を接収されている歯科医の息子とは友達だから、みつかっても怪しまれはすまい。

オーヴァの下にピストルは隠しておき、中尉がきたらぶらぶら近づいて、体に押しつけて引き金を引くのだ。これなら失敗しはすまい。中尉の毛ぶかい胸からふきだす鮮血。だがあの女は、玲子はどうする……。

まだ夕方だったが、時間のつぶしようもないままに、実夫は歯科医の家の近くに行ってみた。門のわきにかくれて、明日の実行の予行演習をしてみようと思ったのだが、今日は何かの催しがあるのか、門前にトラックやジープが停り、将校や兵士がおびただしく出入りしていて、近づきにくかった。そのときになってやっと、ここに来たかった真の理由が、玲子を一目でも見たかったからだということに気づいて、実夫は自分を強く叱って足早に門をはなれた。

千代田通りの市場は、相変らず雑踏していた。冬の夕陽がそろそろ空気を赤く染め、人々は帰りの荷を少なくするために声をはりあげて客を呼んでいた。

アンペラがこいの店の裾は寒風にあおられ、丸木をしばった梁《はり》には白い脂肪に包まれた羊や豚が硬く凍って吊られている。大甕には染めたり泥でつつんだりした卵が満ち、踏みかためられた雪の路傍には、家鴨や鶏が籠に伏せられて、せわしく鳴きたてていた。現地人は光ってうす汚れた褲子《クーツ》や大掛児《タアクアル》をつけ、豚の蹄や西瓜の種子をかじり、手ばなをかみ、唾をはきちらしながら悠々と歩いていた。対照的にせかせか歩くのは、防寒帽に旧関東軍用の外套をきた日本人たちだった。

この喧噪が、強烈なニラや大蒜《にんにく》や玉葱の匂いが、ひしめきあう生活の感じが、実夫は昔から好きだった。何も買わなくとも、この雰囲気に酔いたいばかりに、市場に出てくることが実夫はしばしばあった。しかも今日は、彼はポケットに、納豆の売りあげを少しずつごまかして貯めた何枚かの国府軍軍票を持っているのだった。一人きりで外で夕食を喰うという生まれてはじめての経験を、これから彼はするわけだった。何を喰おうと、何を買おうと、文句をいうものは誰もいなかった。大人として味わう自由の感情の快さに、実夫はしばらく、家を出てからの重苦しい緊張を忘れていた。

肉饅頭をふかす五段重ねの丸蒸籠《せいろ》からは太い湯気の柱が立ちのぼっている。唐辛子のきいた熱い麺類を喰わせる露店では、汗をうかべた屈強な男が小麦粉の塊を空中たかくほうりあげては、振りまわして引きのばしている。隣の餃子《チャオツ》屋ではうす汚れた前垂れがけの男が、半円形の重い庖丁で豚肉と葱を叩きつづけ、その妻らしい女がリヤカーの上の炉にかけた鉄板に水をそそぎ、手品師めいた熟練した手さばきで、すぐ蓋をするのだった。

それを見て、豚脂の焦げる匂いと湯気にまじった肉と葱の匂いをかぐと、実夫は唾が湧き、胃が空腹を訴えて痛いほどひきしまり、もう我慢ができなくなった。値段をたしかめてから、

「這《シェイ》（これ）」

と注文した。

しかし、香ばしく焼けた外皮に歯を立て、火傷《やけど》しそうに熱い肉汁が舌の上にほとばしるのを味わう喜びが去ると、孤独感が急速に身に沁みはじめるのだった。陽はほとんど沈み、道路や屋根の雪塊《せっかい》が、ほの白く見えてきた。露天商たちはめいめいリヤカーをひき、車に驢馬《ろば》をつなぎ、あるいは袋をかついで散りはじめたが、実夫の帰るべきところは、もはや去日までの家族のもとではなかった。

夕方になって凍り、表面が固くなった雪を踏んで陳の家にたどりついたときは、もうかなり

遅くなっていた。ドアを叩く。ややあって物見窓がひらき、すぐにドアがあけられた。

「我来了《ウォライラ》」

「どしたのか？　入れよ」

お互いに、相手の国語を使ってしまうことが、このごろはときどきあった。

店の奥の、陳の寝室は、温突《オンドル》でむっとするほど暖かかった。土と煉瓦で作られた部屋は四坪ほどの広さで、天井は低く、片隅がベッド状に高くなっており、この下で朝、火を焚いておくと、夜半まで燃えつづけているのである。床には羊の毛皮をしき、シナ風の卓と、硬い椅子がおかれている。そこに実夫を坐らせて、陳は茶を入れてくれた。

母のことは伏せておき、父と喧嘩して家出したいきさつだけを語ったのだが、陳は肥った頬をたるませ、眼を糸のように細めて、大いに笑った。翌朝すぐ帰れというと思いのほか、親切そうなねちこい口調で、こういった。

「しばらくここにいる。我的《ウオデ》の仕事手伝う。それがいいね。あんたの家には秘密、秘密。你《ニー》、そうしたいね？」

たしかに、これは実夫の希《のぞ》む条件でもあった。母と弟がやってくる午後だけ姿を隠して、数日ここでくらせば、陳の拳銃を手に入れるチャンスは、無理をしなくともめぐってくるはずであった。

落ちつき、体があたたまると、眠気を覚えたが、陳が昂奮してつぎからつぎへと話しかけてきた。そのうちに、ふと或る言葉が耳にとまった。

「陳さん、いま何といった？　再《ツァイ》、再《ツァイ》」

「いや、今日、司令官ね。開陽にうつった。将校の人たちも、ほとんどね。だから我的《ウォデ》の商売も、開陽行く必要ある」

（それでは）と、実夫は歯ぎしりして考えた。（今日歯医者の前に停っていたトラックは、移転の荷物を運ぶところだったのだ。あの中尉も、当然移ったろう。隣の駅だから、玲子も、いっしょについていったにちがいない）

落胆と、同時にかすかな安心を、実夫は感じた。しかし、すぐに自分を叱りつけた。中尉と女がどこに移ったにせよ、自分に課した復讐の義務をまぬがれる口実にはならない、と考えたのである。

その夜、実夫は温突の上で、陳と床を並べて寝た。家鴨の羽毛が入った贅沢な夜具は、まだ新しいにもかかわらずかすかに大蒜の匂いがしたが、そんなことは気にならないほど疲れきっていた。

——奇妙な夢を、実夫は見ていた。はじめそれは、怒って額に蒼筋を浮かべた今日の父親の顔だった。それがいつか、目も鼻もないのっぺらぼうの、しかし口だけがついた怪奇な化け物に変り、実夫をしだいに部屋の隅に追いつめてゆくのだった。

目前に迫った怪物をかわす余地がなくて、実夫は絶望のあまり、口を大きくあけた。その口に化け物は巨大な体を遠慮会釈なくねじこんできたが、すると実夫の顎はかんたんに外れ、唇も頬も喉もゴム細工のようにひきのばされるのだった。とうとう口腔は裂けそうにいっぱいになり、苦しくて息がつまり、涙があふれた。そのうちに、その感覚が実は口ではなく、彼の腰のあたりに、背後から加えられているような気がしてきた。

「好看《ハオカン》（美しい）……好看的身体《ハオカンデシュンチィ》」

陳の声が耳もとに聞えて、はっきりと眼がさめた。肉体のはりさけそうな感じは、現実のものだった。自分の下半身はいつかむきだしにされており、うつぶせに寝ていた背の上に、陳の重い体がのっていた。仁丹くさい息が、耳の裏から首筋にかけて熱く吹きつけてきた。

実夫はうめいた。感覚はあまりに強烈すぎて、快感なのか苦痛なのか判らなかった。陳の硬い、体の動きのたびに、体内から刺激だけを、むりやりに引きずり出されているような感じだった。しかも陳の手は、実夫の腰の前にまわって休みなく動いており、その感覚の甘美さに、実夫はひたすらすがって耐えようとした。しかし、どうしてもじっとしていられなくて、実夫は背を反らし、身をよじりながら、上半身をいつか隣の、陳の床にまで移動させていた。

大きく口をあけて呼吸をあらげながら、実夫は両手で陳の、絹の枕をにぎりしめた。その右手の指が、冷たい、硬いものに当った。

全身を、氷のような緊張がつらぬいた。陳の体が背に、弓なりに弾むのを感じ、感覚の烈《はげ》しさに痺れてうめきながら、実夫の頭の芯は、たちまち覚めた。小型の拳銃の撃鉄を、実夫は親指で、手さぐりで起してから、枕の下でにぎりしめた。

実夫の背にざらざらした頬や顎をすりつけていた陳が、やっと身を起した。足もとにうずくまり、こんどは彼を仰向けにしようとする。拳銃をかくした枕を胸に抱いたまま、実夫は寝返りをうって上体を起した。腰に顔を伏せてきた陳の、少し薄くなった顱頂《ろちょう》を、実夫は火のようにかがやく眼でみつめた。

右手をあげて、拳銃をその顱頂に近づける。陳のやさしい額《ぬか》ずきに、こんどははっきりと甘美な感覚が急速に高まってきたのを感じながら、しかも実夫は銃口を、自分の脚を射たぬよう、斜め上にむける配慮をするだけの、余裕があった。

引き金をしぼったのが、自分の意志によるのか、全身をつらぬく痙攣の余波で銃把《じゅうは》ごと握りしめたためかは判らない。肱《ひじ》に強い衝撃があり、つぎに空気が一瞬固体になって自分の上に倒れかかってきたような、轟音というよりは圧迫感があった。反動で拳銃はうすい煙をひきながら宙に飛び、床に落ちた。

実夫に頭の中心をみせたままの姿勢で、陳は動かなかった。しかしその肉体が、間をおいて激しく収縮することは、はっきりと判った。やがて熱い、赤黒い液体が、どろりと自分の腹にかかるのが感じられた。ゆらめくランプの灯りのなかで、柔らかに息づいている自分の腹の、血ぬられていっそう際だって見える、輝くばかりの白さを、実夫はしばらく陶酔して眺めていた。

5

月光は雪に反射して、昼間のように明るかった。ともすればその中へ走り出たくなる自分を必死でおさえて、実夫は物陰から物陰を、小走りに伝って急いでいた。陳の店を出たとたんに恐怖が圧倒的な量で湧いてきて、実夫はいまは（一刻も早くここを遠ざからねば）ということしか考えていなかった。

足はしぜんに、中央停車場のほうにむいていた。この時刻ではまだ始発も出ていず、そもそも民間人の乗れる列車など、終戦後は一輛も動いていないことも知りつくしていながら、ある動物的な逃走本能のようなものが彼をそこにひきつけて止まないのだった。しかし、この夏いらい半年ぶりに駅ちかくに来てみて、雪をかぶってずんぐりと見えるプラタナスの列が長い影をひいているだけの、人っ子ひとりいない駅前広場を眺めると、その月明りのなかを横切って駅に入ってゆくだけの勇気は、どうしても出ないのだった。

建物の影ぞいに歩いて、実夫は駅入口から遠くはなれた、フォームの端に出た。焼いた枕木を並べた柵のなかに、貯炭《ちょたん》場や給水塔が、ふしぎな形の影を黒々と切りぬいている。すさまじい巨大さの、孤独な怪物めいた姿を見せて動かないのは、切りはなされた機関車である。おとなしく眠りこんだ家畜のような、貨車の列も見える。静まりかえったそのシルエットのなかで、それぞれの背に積った雪と、分岐し錯節《さくせつ》したおびただしいレールだけが、冷たい青びかりを放っていた。

ある思いつきに、実夫は身ぶるいした。枕木の柵にそって歩き、隙間の大きい部分を身を横にしてすりぬけて、構内に入った。目の前には引き込み線に入ったままの、貨車の列がある。引戸の下端がちょうど頭の高さだ。横に押してみたが、開かない。つぎの貨車も錠がかかっているらしい。

遠くに足音がしたような気がして、実夫は貨車にへばりついた。少しずつ体をずり落して道《どう》床《しょう》に倒れ、音を立てぬよう注意しながら車輪のあいだにころげこんだ。足音はしだいに確実になり、やがて銃を肩にかけた警備兵が、ゆっくりと目の前を歩み去った。歯が鳴りそうなのを、必死に実夫は嚙み殺していた。寒さからか怖れからか、自分でも判らなかった。

足音が全く消えても、気力がつきていて、実夫はそのまま長いこと動けなかった。やがてあたりは白みはじめ、貯炭場のほうからは石炭を補給する響きや、ショベルがかちあう音、中国語の呼びかわし、蒸気の噴出する音などが聞えてくる。決心して実夫は這いだし車輪にすがって次の貨車まで歩き、引戸を押した。

開いた。蒸れた、かすかに暖かい空気が顔にあたった。大きな音が響いたが、かまってはいられなかった。手を床につき、上半身だけを床にあげると、泳ぐような恰好で手足をばたつかせながら、いっそう暗いその新しい闇のなかにもぐりこんだ。引戸を内側から閉める。

頬にあたる刺すような、ざらついた感触は、どうやら麻袋《マータイ》らしかった。中身のない、使用ずみの袋だけを、ほとんど天井の高さにまで積みあげてあるのだった。積荷と木の壁のわずかな隙間を、実夫はもがきながら進み、車の中央についた引戸をあけてもすぐには見つからない端ちかくにたどりつくと、麻袋のあいだに体が入るだけのくぼみを作って、坐りこんだ。麻の壁は、意外にあたたかだった。

居心地がよくなって一安心すると、はじめて前夜からの恐ろしいいきさつを、思い返す余裕が出てきた。血まみれの陳の印象は生々しかったが、人殺しをした、という実感はふしぎに薄かった。人を殺すということが、あんなに簡単なものかと思うと、あっけない気持もした。

むしろ官能的な、暗い蠱惑《こわく》の印象のほうが強かった。自分の、白いなめらかな腹の上に、とつぜん落ちてつぶれた熱い熟柿《じゅくし》……ゆらめくほの灯りのなかの、あの光景を思いだすと、数時間前の、外部の甘やかな圧迫感、いまでも火の棒をさしこまれているような、内部の強烈な、苦味を帯びた複雑な感覚さえ、まざまざとよみがえってくるのだった。

しかしこれからの自分の運命を考えると、不安は大きかった。オーヴァの右ポケットには拳銃の硬さと重さが、歩くたびに腿に当ってさっきから存在を主張しつづけており、他のポケットというポケットには、陳の布団とオンドルのあいだからかきあつめて詰めこんできた紙幣が、ごわごわにつっぱっていたが、この二つのものがこれからどれだけのあいだ自分を守ってくれるかは、はなはだ心もとなかった。

証拠は何も残さなかったから、陳の死はたぶん、ありふれた強盗殺人事件として処理されるはずだった。八路《パーロ》同調市民の検挙に手いっぱいの、国府司法部の警察力では、一般刑事犯罪の捜査までは手がまわらないことを実夫は知っていた。しかし自分の家族と陳とのつきあいは、店の小僧が知っているはずだったから、いま帰れば形式的にもせよ取調べは受けるかもしれなかった。そのときにまったく平静でいられる自信は、実夫にはなかった。

泣きたい思いで、実夫は社宅のなかの、ストーヴと家族の体温であたたまった、六畳一間の家のことを考えた。しかしいま帰ったら、たぶん家族を、事件に連座させる結果になるにちがいなかった。単純に自分の家出に、家族は心痛しているはずだったが、自分はこのまま家族の前から、永遠に姿を消すのがいちばんいいのだ、と思われた。もうあとへはひけなかった。それに考えてみれば、拳銃と多額の金が手に入ったのは、かねての計画が、一歩実現へ近づいたことに他ならなかった。

（この貨車が、うまく開陽の方に行ってくれればいいのだが）と、実夫はぼんやりと考えた。奇妙なのは、あれほど自分を惹《ひ》いて止まず、こんどの家出さえも、復讐したいためか彼女に近づきたいためか曖昧だったほど魅力に満ちて見えた玲子に、いまではほとんど関心が持てず、愛着はもとより憎悪さえも感じられなくなっていることだった。

とつぜんの眠気がおそってきて、実夫は失神したように眠りこんだ。

――目をさましたとき、貨車はもう走りだしていた。時刻はわからないが、板のつぎ目からさしこむ光の明るさを見ると、もう昼間らしかった。貨車の反対側の隅に行って、実夫は床板の隙間に小便をした。ついでに、下腹にこびりついて固まっている血を、爪で掻いて落した。はげしい空腹が感じられた。

一日走りつづけて、列車は夕方、やっと小さな停車場にとまった。引戸を細目にあけて、まわりに誰もいないのをたしかめてから、実夫は線路にとびおり、前のめりに走って煉瓦塀のかげに駆けこんだ。列車の進行方向から考えて、どうやら開陽とは逆のほうに来てしまったらしかったが、とにかく降りて飲み喰いしてこないことには、飢えと渇きは耐えがたかった。

駅前の露店で、寒空に大鍋から湯気を立てている鶏粥《シーチョウ》を、実夫はふうふう吹きながらつづけざまに二杯喰った。貨車の中で喰うために油餅《ユイビン》を十個買いこみ、油がしみぬよう古新聞で何重にも包んでもらって、メリヤス・シャツの下に入れた。餅は揚げたてで、腹にあてていると、汗ばむほどに熱かった。その熱さに、するとまた甘やかな情欲がたかぶってきて、誰か他の男に昨夜とおなじことをされ、その最中に相手の頭に、拳の通るほどの穴をぶちぬいてやりたい、という衝動を、実夫はふと感じたりした。

あることを思いついて、実夫は身ぶるいした。母を鞭打ったあの中尉、彼にその行為をさせて、最中に軍帽の頂きを撃ちぬいてやるのだ。何にも増してこれが理想的な復讐ではあるまいか。具体的にどうしたらいいかは判らないが、いつかはピストルで脅してでも、実行してやるぞ。いまに見ていろ。玲子なんぞはどうでもいい。

復讐の情熱よりもむしろ官能の高ぶりにおされて、実夫はポケットの拳銃を汗ばむほど握りしめ、巣立ったばかりの若い狼のように、凶暴な目つきであたりを見まわしながら歩いた。こうした衝動を生々しく感ずると、いままで恋しかった家や家族が、とたんに自分から遠いものに思われてくるのは、ふしぎなほどだった。寝足り、喰い足りて、気力と情欲の充実したいまでは、家族のことは考えるさえ何となく不快だった。もう少しも淋しくはなかった。自分のように自由でなく、終戦をむかえたとたんに惨めになった父親が、いっそう哀れな、軽蔑すべき生き物のようにも思われはじめた。

（見ておれ）と実夫は昂奮して考えた。（もう自分は、一生女の愛などにしばられないぞ。誰

にも甘えず、甘えさせないこの生き方は、なんと爽やかなことだろう）

腕に籠をかけて寄ってきた、日本人のタバコ売り少年から、実夫は「赤玉《ラッキー》」を一箱買った。わざと現地語をつかって買った。それから彼を、軍用物資がある、と口実をもうけて自分の貨車に連れこんでやろうかと考えたが、現地語をうまく使える自信がなかったので止めにした。生まれてはじめて喫ったタバコはたいへん苦く、実夫はむせて何度もいがらっぽい唾を吐いた。

そのうちに、実夫はふしぎなことに気がついた。歩くにつれて、周囲の光景に、しだいに見覚えが生じてきたのだ。賑やかな十字路に出て、実夫はどきりとして立ちどまった。うたがいもなく、ここは彼が毎朝、母や弟と納豆を売りに出ていた、千代田通りであった。

飛ぶように、実夫はもと来た道をひきかえした。まちがいない。列車は一日かけて、彼が住んでいた市を、ぐるりと半周しただけだった。いま貨車が止っているところは、中央駅のちょうど反対側にある、貨物専用駅なのだ。逃走するつもりだったのが、実は一歩も遠ざかっていなかったのだ。

不安に、実夫は蒼ざめた。人に顔を見られぬうちに、一刻も早く、さっきの貨車のなかに身をかくしたかった。その中で気永《きなが》に待てば、明日は列車が、彼を見知らぬ土地へ連れていってくれるだろう。

貨物専用駅の構内は夕陽の余光にまだ明るかったが、かまってはいられない気持だった。飛びおりたままの地点に止っているさっきの貨車をみつけると、実夫は駆けよって引戸に手をかけた。そのとき鋭い声が、貨車の向うから聞えた。草いろの軍服を着た警備兵が、肩から銃を外しかけているのが、連結器のあいだに見えた。

線路を飛びこえ、ポイントを躍りこえて、実夫は無我夢中で走った。熱いものが数発、すぐ近くの空気を切り裂くのが感じられ、つづいて乾いた、小さな銃声が聞えた。目前にせまった枕木の柵の、脱けられそうな部分を、実夫は走りながらせわしく探した。

そのとき向《むこ》う脛《ずね》が、転轍《てんてつ》機のワイヤで弾《はじ》きとばされた。もんどり打って実夫は、砂利をしいた道床に顔面を叩きつけた。弾丸が、すぐ近くの小石を割って跳ねる。(もう駄目だ。何もかも)と、実夫は絶望して考えた。

殉教未遂

1

死は恐ろしい。なぜか。意識が中断されるからである。おなじ意識の中断でも、眠りや気絶はなぜそれほど怖くないか。数時間ののちに意識が復活し、ふたたび持続を開始することを、われわれが体験的に知っているからである。しかし、すべて人間は死を体験したことはない。

だが、眠りのまえと目ざめのあとで、意識の内容が一変していることが予測されたとしたら、眠りにひきこまれる恐怖は死にのぞんだときと同一であろう。たとえ肉体が生活反応をつづけ、容貌も変らず、社会的地位や環境が変らなかったとしても、昨日までの彼の人格は完全に滅んだのである。それなら、人格の一部の変化することが、たとえば記憶だけは持続していても、昨日あれほど欲していたことが今日は見るのも厭になり、たえず喜びの源泉であったものが或る一瞬を境として、手を触るるさえおぞましくなることが、予測されるとしたら、諸君は怖くないか？　わたしは怖い。というより近ごろしだいに不安でたまらなくなってきた。金剛不壊《こんごうふえ》と信じていた頭上の大伽藍《がらん》が、風もなく地震でもないのに、とつぜん揺らぎはじめたときのように。

なじみの湯女《ゆな》が、背を揉みながら話してくれた。

「せんだって、へんなお客さんが見えたわ。まだ若い、可愛い顔をした、学生さんらしいんだけど、私に顔の上に乗ってくれ、というのよ。それも一人じゃ重さが足りないから、二人がかりで、呼吸《いき》ができないくらいに抑えててくれ、って。それで手のあいていたお友達を指名してもらって、二人で顔を踏んづけたり、蹴っとばしたり、そのほかいろんなことをしてあげたんだけど、なんだか可哀そうで、悪かったわ。だって本人が、どうしてもそうしてくれ、っていうんだものね。

それで面白いのは、終っちゃったとたんに、けろっとした顔してるのよ。私たちを見ても、おまえたちは何だ、というような顔つきで、馬鹿みたいにぼんやりしているのよ。さっきまでいろんな注文をつけてた人とは別人みたいに不機嫌になって。そりゃあ男ってみんなそんなものので、終っちゃったとたんにチップを払うのも惜しそうな顔になるけど、でもあんなに、人相まで変って見えた人ってはじめて。それから？　それからもう来ないわ。恥しいのかしらね。お金を費いすぎちゃったのかしらね。なにしろ、まだ若い人だったもんね」

その学生は欲望を満たしたあとの生理的虚脱感におちいっていたばかりでは、おそらくなかった。自分が学生の分際としてはあれほどのおびただしい経済的犠牲を払い、精神の緊張と肉体の苦痛を耐えしのんで渇望してきたことに、或る一瞬を境として何の魅力も覚えなくなったことが、彼はどうしても腑に落ちなかったのだ。

それを指摘したのはわたしの年長の知人で、日常生活でも性的な実験をさかんにこころみ、たぶんそこから得たとおぼしい幻想を、鮮麗な色彩と軽妙な線で画くことで、特殊な評価を得ている、前衛派の或る画家であった。

2

そのとき画家は、つづけて言った。

「そのときの学生の気持は、私にはよく判ります。彼の不機嫌は、彼が自分の生を確認する手段とも目的ともなっていたものを、とつぜん見うしなった虚脱感もあったでしょうが、薄められた死の不安でもあったにちがいない、と思います。男の内部感覚の王国は、完成の極に達したかに見えたまさにその瞬間、光りをはなちながらたちまち崩壊するのですからね。というのはあとから考えついた理屈で、要するに彼は、そのことを境にして、自分がガラッと変ってしまうのが許せなかったんですな。そりゃあ相手にもよります。愛している相手とごく自然な形でそうなるときは、欲望がわずかに下火になるていどで、感情の質にそれほどの差はありません。だけど何かひとつの実験を思いついて、愛してもいない女とさんざん苦労してそれを実行した、そのあとの嫌悪感ったら、これは激しいものですよ。私も実はそうなんだが、相手の女も使用した道具も、シンナーをぶっかけて火をつけてやりたい、と感ずることもある。しばらくすれば欲望は回復して、また凝ったことをやってみたくもなります。だが、あれしきのことで自分がこうも変るなんて、と考えると、事前か事後かどちらかの自分が偽の自分のように思えてきて、自分が二重人格者のような気がしたもんです。さもなければ、つねにコンスタントな欲望を持ちつづけられないことが、意志薄弱の証拠のようにも思えてきましてね。

それで、いま考えるとまことにばかばかしい実験をしてみたことがある。ごく若いころのことだが、あるプロの女をホテルにつれこみましてね。条件をつけたんです。つまり、最初の一回に金はいくらやる、と。二回めにはその倍、三回めにはさらにその倍やる。さいしょはうんと安く、当時の金でええと百円からかな、始めたんですが、それでも五回めが終るとすると、彼女のうけとる金はぜんぶで三千円……三千百円にもなりますかな。ホテルのチェック・アウトまで何回まで可能か、積極的に振舞って私の能力をぎりぎりまで引きだしてみてくれ、とね。

ただし、もし私が途中で、厭になったから止めてくれ、といっても決して止めてはならない。始めてからあとの私の心がわりに従ったりすれば、金は一銭もやらない。行為中の自分は、いまの自分と人格が違うものと思え。こう言いわたしてから、あとで私が女に抵抗できないように、細引で自分の手足をベッドに縛りつけさせたんです。

いや、女は張りきりましたね。それにくらべてこちらは、三回めが辛うじて終ったあたりから、地獄の責め苦です。相手が好きな女で、こちらのペースで十分に時間をおけばともかく、相手は美人とはいえプロだからそれほど熱中できるわけでもなし、ひたすら欲得ずくから、時間を惜しんで回数をこなしにかかります。何の因果でこんなことを始めたのかと後悔してもあとの祭り。二重人格でも三重人格でもいいから止めてくれと、哀願すれども叫べども馬耳東風《ばじとうふう》。とうとう約束の倍だすから中止してくれ、とまで言ったんですがね。心がわりに従うな、といっしょに言いわたしているから、聞いてくれやしません。サ行変格活用の動詞連用形に『殺す』をくっつけた俗語がありますが、あのときはまったくその意味で殺されるか、と思いました。

でも、とうとう見かねたのか、自分が疲れたのか、女は夜中ごろには止してくれました。『いまあなたの言うこと聞いたら一円もいただけないはずだけど、止してあげるわ。だってあんまり自分があさましく思えるんだもの。こんな商売してても、あなたよりは恥、というものを、私、知ってるわよ』とかいってね。むろん約束の金はやりました。色をつけてね。そのときはほんとに命びろいしたような気持で、チェック・アウトまで眠りつづけたんだけれど、あとになって考えるとやはり、女が私の言うことを聞いたのが、忌々《いまいま》しいような気もするのです」

画家は笑い、わたしも笑ったが、なにかが心の隅に澱《おり》となって残った。自分の欲望を外部からの強制に従わせようとした画家のこころみは、もとより無益な、失礼ながら愚行であるにちがいない。しかしそれなら、人間は自分の欲望を意志に従わせる、どんな手段を他に持っているというのか。多くの宗教は意志を鍛えることによって欲望から離脱する方法は教えるが、欲望を煽りたて持続するには、不確実な効果しかもたない薬物――催淫剤、消化剤、緩下剤《かんげざい》、睡眠剤――に頼るほかにすべを知らぬのだ。

そしてわたしが画家を笑えたのは、実は彼ほど真剣に己れの欲することをみつめた経験もなく、真に自分自身でありたいと希求したこともなく、自分の人格の不統一、矛盾、変動、混乱、弱さについて彼よりはるかに無関心だったからではないか。人間が外部に対して責任を負って生きるためには、自分の人格についての態度決定からまず始めねばならぬのは、自明であるのに。わたしが〝愚行〟を演ぜずにすんだのは、実は彼よりも実行力がなく、勇気に欠け、怠惰で、好奇心とエネルギーに乏しかった、というだけのことではないか。

画家は大正の末の生まれというから四十一、二歳であろうか。色白の中背で、痩せてはいるが骨太く、筋肉はよく締まっている。手と足が大きい。顔立ちは繊細で、言語動作は若々しく、熱っぽく、いっしょにバーに行くとわたしより若い二十七、八歳に見られることがある。よく風邪をひくが、すぐ回復する。万能のスポーツ・マンでもあり、たぶん異常な精力家らしい。

しかも親ゆずりの財産家で、小づかいに不自由せず、当りは柔らかいときているから、女性にたいへん人気がある。少くとも外見に、異常なところはまったくない。

わたしの本の一冊は、彼が表紙を画き、装釘したものである。彼の性的なアヴァンチュールを、小説の材料に使わせてもらったこともある。が、それは親しくなってからのことで、さいしょは彼がワグナーのレコードをおびただしく蒐《あつ》めていることを聞き、ある出版社のK氏に頼んで、渋谷伊達町のアトリエに連れていってもらったのである。

もう三年まえのことになる。画家の家には小さいながら手入れのゆきとどいた、日本趣味の庭があったが、池にかけた石橋をわたって、わたしたちは築山の裏に導かれた。築山と松で母屋からは隠された位置に、二坪ほどの小屋がある。扉をあけ、壁のスイッチをひねると、奥には石油の罐や、石炭や、薪の類が積みかさねてあるのが見える。和服を着た画家は床にしゃがみこんで、鍵を鳴らしていたが、やがて唸ってマンホールの鉄蓋のようなものを持ちあげた。黴《かび》くさい湿気が鼻を打った。

壁の手がかり、足がかりをさぐって、画伯がまずマンホールに没した。彼を担当しているK氏が慣れた調子で、それからわたしがおずおずと中に入った。腰から下が入ったとき、画家が電気をつけたと見えて、地下室は昼をあざむくばかりに明るくなった。しかし足が硬い床にふれたときは、光量を調節したと見えて、また薄暗くなった。

床におりたって、壁を背に向きなおったとき、わたしは息をのんだ。燭台の鈍い光りのなかに七、八人の女が全裸で立ち、あるいは床に横たわっているのである。いずれも足がながく、頭が小さく、みごとに均斉が取れた体つきである。一瞬わたしは、画家がわたしたちを歓迎するために、女たちをやとって待機させていたのか、と思った。マネキン人形であることがとっさに判らなかったのは、人形たちが色と濃淡こそさまざまなれ、みな腿のつけ根に生き身の女のそれと等しい影をそよがせていたからである。つぶさに見ると、それはみな、股間に装置してある人工の器具を目立たなくするための植毛であることが判った。

「御自分でおつくりになったのですね」

と、K氏がわたしに聞かせるために念を押している。

「ええ。器具は一体一体、ちがったメーカーのを取りつけてあります。南極探検隊用のはさすがに工合よく作ってありますなあ。なんなら、おためしになって結構ですよ。しかしこいつが、手入れをよくしておかないと、汚れや痛みが早くてねえ。さいきんは柔らかい合成樹脂製のマネキンができたので、大分保存も楽になりましたが」

と、画家は壁にほりこんだ龕《がん》のなかの、ガス・ストーヴに点火しながら、台所用品の噂でもしているような、日常的な口調で言った。

やや落ちついて、わたしは周囲を見まわした。地下室は六畳ぐらいの広さだろうか。天井の一部と壁の一面に大きい鏡がとりつけてあるので広く見える。マネキンは数えてみれば四体しかなかったが、鏡に映って多く見えたのであった。ダリの複製があちこちにある。隅にダブル・ベッドがあるが、これは材料を運びこんで中で組立てたらしい。テレビン油の匂いがするのは、壁にかけられた怪奇な密画風のキャンバスのせいである。ベッドと反対側の壁にセパレーツのステレオがおかれ、余った壁面には吸音テックスが張られているが、湿気のせいであちこちにしみの地図ができている。天井と壁の一部は白い漆喰《しっくい》で塗られているが、ベッドの枕のあたりに八ミリの映写機がおいてあるところをみると、これがスクリーンの代用となるのであろう。得体の知れない昂奮に、わたしは背筋が寒くなるのを覚えた。

K氏はクッションに、わたしは古風な彫刻をほどこしたダブル・ベッドに、それぞれ腰をおろして、ウイスキーのタンブラーを抱えこんだ。画伯はステレオの蓋をあけ、ターンテーブルにピックアップをのせて、ストーヴの前の縄張りスツールに坐った。やがて「ラインゴールド」の荘厳な導入部が、地下室の空気をつんざき、壁を震わせはじめた。

照明はステレオ・アンプの色さまざまなパイロット・ランプ類のほかは、燭台がひとつ龕の上にゆらぎ、巨大な男女性器の天然色写真を照らしだしているだけなので、お互いの頭は見えない。六台のハープをふくむ大管弦楽団の圧倒的な音量が部屋をとどろかせているから、むろん話もできない。社会から切りはなされたこの地下室のなかで、ふいに予想もしなかった孤独につきおとされて、わたしは体内に怪しい妄想がしだいにふくれあがってくるのを感じた。

レコードは大神ウォータンの地下の国ニーベルハイムへの下降を、轟々たる音響で描写している。いつか映画で見たこの場面の、硫黄の蒸気が立ちのぼり、濃厚な密雲となり、どす黒い断崖のあいだを下へ下へと沈みこんでゆくうちに、やがて地下の国のそここから、燃えさかる鍛冶場の炎の、深紅色の光りがさしてくる光景を、わたしはふたたび眼前に見る思いがした。調律された十八台の鉄砧《かなしき》のすさまじい響きがしだいに高まり、部屋はさながら地下の大細工場《さいくば》そのもののように共震し、波うちはじめるのである。もはや音などというものではない。耳は用をなさず、全身の皮膚と筋肉の裂けんばかりの震動で、楽想の輝やかしく荘麗な洪水を感知するよりしかたがない。

物かげに身をひそめるためのように、わたしはベッドの鏡板のかげに身を倒した。そのはずみに、ひんやりした柔らかい肉が手に触れた。ベッドと壁のあいだに立ててあるマネキンのひとつが腕を押されて、まだ前後に揺れていた。

ふしぎな衝動にかられて、わたしはその無抵抗な手を握ってみた。完璧な形をもった、小さな、冷たい手はまったく従順に、どこからでも曲り、人間のかたちをした魚類か何ぞのような感触だった。人間の女の感触とは違う快さがその手にはあり、わたしはふと、屍姦《しかん》者の得ている快楽はきっとこのようなものにちがいない、と考えたりした。少くともこの地下室で、こうした非人間的な音楽に酔うときのパートナーとしては、生き身の女よりこちらのほうがはるかにふさわしかった。

わたしは別に美像愛好者《ピグマリオニスト》ではないが、それでもこの人工女性の手を握り、均質な柔らかさの冷たい乳房をさぐり、腹に触れ、尻を撫で、下腹の繁みに指を埋めているうちに、情欲が抑えがたいほどに昂ぶってきたことを告白しなければならない。ひとつには鳴りはためいていたワグナーの雷鳴や稲妻が、善も悪も道徳も不倫もすべて等価値にしてしまい、人間ばなれのしたスペクタクルだけを絶対なものと錯覚させる、ふしぎな作用をもっていたせいかもしれない。とにかくわたしにはこの瞬間、画伯がワグナーを聞く部屋として、かしずくものといっては性器をそなえた人工美人がいるだけの、完全に孤独になれる地下のこうした場所をつくりあげた理由を、はっきりと納得したのである。

——地下室で過したその一夜は、わたしに強烈な印象をのこしたが、といって画伯のまねをして密室をつくり、マネキン人形を転しておくほどの気にはなれなかった。そんな資金もなかったし、それを〝酔狂〟だと思う気持もあったし、なによりもそうした密室の幻影よりも、まだ二十代だったわたしには、なまの現実のほうが好ましくもあった。結局、あの一夜がわたしに残したものは、デパートでマネキン人形の指に無意識に触れ、それが柔らかければかすかな満足を覚える、奇異な習慣だけであった。

3

それから一年ばかり、わたしは画伯に会わなかった。駒込千駄木町のアパートから駒込林町のマンションに移ったとき、転居通知を出しておいただけであった。或る日、とつぜん電話があった。上野の美術展を見にきたついでに、近くまで来てみたという。

「そこを動かないで下さい」

といってわたしは電話を切り、サンダルをつっかけて飛びだした。千駄木町都電停留所角の下駄屋のまえで、画伯はモジリを着、天気がいいのに細身の洋傘を杖について、手持ぶさたに立っていた。

ソファに身を沈めた画伯は、一年まえにくらべて少し痩せ、いっそう青白くなったように見えた。

「あの地下室は面白かったですね」とわたしはいった。「今でもよく使用なすっているのですか？」

「いや」といって画伯はしばらく、黙った。

「あれは、もう、埋めました」

「埋めたって？　どうしてです。あんな面白いところを……」

わたしの声はうらみがましくなっていたと思う。

「じゃあぼくはもう、あそこでレコードを聞かせてはもらえないわけですね」

「いちどいらしただけだから、いいのです」と、画伯は暗い声でいった。「たびたび、あんなところに入るものではありません。……だいたい私が、防空壕をあんな酔狂な地下室に改造したのは、子供のころ夢みたいろんなことを、大人の好みで実現したかったからなんです。大ていの人が大人になれば忘れてしまう夢を、成長のおそかった私はたまたま覚えていて、それを実現するための金と暇があった、というだけのことです。夢が現実になるのは、たしかに楽しい。ところがその現実が永続するのは、これは苦痛なものですよ。夢はたえず変化する。実現された夢はそれに応じて変ってくれないから、こんどは現実が私をしばる牢獄と変るのです。だから私がたえず現実化された夢のなかに住みたいのだったら、つぎつぎと地下室を掘り、無数のマネキンを買いこんでは、捨ててゆかねばなりますまい。芝居の世界に生きているのでもないかぎり、それは不可能です。

やはり熱烈なワグネリアンである、バヴァリアの狂王、ルドヴィヒ二世のことは御存じでしょう。ええ、リンダーホフやノイシュヴァンスタインやヘルレンキームゼーなどの、幻想的なばかりで、さっぱり使いものにならない城を建てた、若い、美貌の王様です。城のなかには人造鍾乳石で洞窟をつくり、自分は中世騎士の服装をして、おびただしい白鳥で飾った部屋を夜もすがらさまよい歩いた。湖を照らすために人工の月をつくり、自分ひとりのためにワグナーの演奏会をしばしば開かせた。舞台は暗黒のうちに静まりかえってただひとりの観客を待っている。完全な静寂をもたらすために道具方はフェルトの靴をはいている。深夜の十二時、入御《にゅうぎょ》を知らせる明りがつく。赤いビロード張りの桟敷に、王ははばかるように身を隠す。がらんとした客席を前に、俳優たちはときとして背筋が寒くなるほどの恐怖を覚えながら、演技をつづける。——

あるいはまた、ヴェルサイユを模して建てたヘルレンキームゼーの城に、王は高さ十メートル、奥行き百メートルの大広間いっぱいに、赤い大理石で縁取った鏡を張りめぐらせた、と言います。一年に一回、この城にくると、広間の釣燭台にすべて火を入れさせて、三千本の蠟燭と金属細工が鏡に反射するのを見ながら、理髪師と、王と同性愛関係にあった馬丁の二人だけをつれて、朝までただただ歩きまわったそうです。毛皮のオーヴァを着、王家の定紋《じょうもん》を打った馬ゾリで、深夜、月光と雪のなかを何時間も走りまわるような奇行を演じたあげく、とうとう湖水に歩み入って自殺するのですが、もしかしたら王は夢を追っていくつもの城を建てては捨てたあげく、湖のなかに、さいごの、幻影の城をみていたのかもしれません。

これもワグネリアンだったヒトラーが、世界帝国の夢を実現しようとして、どのような惨禍を地上にもたらしたかは、言うまでもありますまい。平凡な人間の平凡な幸福のためには、ワグナーの音楽はいっさい演奏禁止にし、楽譜も燃してしまうべきかもしれません。昔の帝王が、人々に妄想を抱かせる書物をすべて焼きすてたように。

しかし私には、この狂王やヒトラーの身をもって示した教訓が、理解はできても容易に納得することはできませんでした。これだけの費用をかけてようやく夢を現実化したからには、夢のほうでその現実に満足しきっているべきだ、というふうに考えたんですな。加えて自分の精神に外部からスパルタ訓練をほどこしたい、という私の悪癖も頭をもたげてきて、或るこころみを考えついたんです。

バーのなじみのホステスで、二、三度旅行につれていったこともある女をパートナーに選びました。わけを話して、報酬を約束して、いっしょに地下室に入りました。欲望逓減《ていげん》の法則、ってやつに、人間の能力のかぎりをつくして、反抗してみたい、と思ったのです。彼女は私の計画に興味があったのか、地下室が見たかったのか、すぐ引きうけました。いや、もともと好奇心のさかんな女なんです。食べ物を用意して中に入り、入り口の鍵を外から女房にかけさせ、

『一昼夜たたなければ開けるな。外から声もかけるな』

と命じました。女房ですか？　ええ、私の気まぐれにはなれています。目にふれる所で他の女となにかしていたって、仏頂面《ぶっちょうづら》こそしてますが、別に何ともいいません。私の商売にこれが必要なのだ、と思いこませておけば、意外に協力してくれるものです。あなたはまだお独りだ

からお気に障《さわ》るかもしれないが、私たちのように二十年ちかくもいっしょにいると、夫婦は性の相手というよりは、生活の協同者、共同事業者の要素のほうが強くなるものですよ。

頭上の鉄蓋の鍵が締まり、その上の燃料小屋の扉を荒っぽく締めて女房が立ち去るけはいを聞き定めてから、私はガス・ストーヴをつけ、裸になりました。相手の女にもそうするように言いました。めいめい好き勝手な恰好で、用意しておいたタン・ソーセージや、チキン・パイをかじりながらブランデーをのみます。女のマネキンだけでは不公平だから、さいきん出まわりはじめた男のマネキンも買ってきて、植毛や、そのほかの実用的な細工をしたのも運びこんでおきました。

レコードをかけ、珍しいブルー・フィルムを映し、サモン・ピンクのカヴァーをかけたベッドの上でそうしたことだけに専念して二十四時間を過せば、大変な費用をかけてしつらえたこの地下室に、もう満足できなくなりかけている自分を罰することができる、と感じていたのかな。いや、もちろんこの地下室を素材にして、新しい幻想がはぐくまれたら、と願う希望のほうが強かった。

しかし、五、六時間もすると、私たちは例によって、もうすることがなくなりました。ええ、女が男の人形を抱いて声をあげているとき、そのマネキンが実は生命を持っているような錯覚がして、これはちょっと奇妙な恐怖を起させる効果はありましたがね。

『もうあきちゃった。帰りたいわ』

といいだすのですが、いくら大声をあげてもこの地下室からでは、母屋にいる女房に聞えるはずはありません。何とも艶消《つやけ》しなのは、その、排泄《はいせつ》のことで、そのためにあらかじめ蓋つきのポリバケツを持ちこんでおいたのですが、女がこれにまたがると反響して、いや、たいへんな音がします。部屋を暗くし、ステレオをかけてごまかすことにしたりして、とにかくその晩はダブル・ベッドで眠りました。

八時か九時に目がさめて、時計をみたとたんに、ずっと眠りすごしてしまって解放されるはずの夕方になっていることを期待したんですが、天井にあいている空気抜きからわずかに洩れる光りの明るさは、やはり朝らしい。それでも今日の夕方までの辛棒だと思うと、あと十時間をフルに使い、何かをつかんでやろう、という気持もわいてきて、女にこう提案したものです。

『ねえ、外に出られる時をぼんやり待っているだけではつまらないから、ひとつ、ぼくたち二人はこの地下室に閉じこめられて、二度と出られないのだ、と考えてみないか。心中するまえの男女が感ずる刺激というのは大したもので、その刺激が忘れられないばかりにいちど心中に失敗したものは、二度三度とこころみる、ということだ。死を前にした男女がどう過すか、この地下室にあるだけの材料を、どのように自分たちの快楽に役立てることができるか、これはまたとない実験の機会だと思うんだ』

『だって、実際に出られなくなったわけじゃないもの。考えろっていう方が無理よ。あたし、もうこんな変てこな実験はあきあきした。やっぱりこんなことは、自然のままがいいわ。……このつぎからは、ほかの女のひとを選んでやってよ。奥さんでもいいじゃないの』

はじめのうちは女も苛々《いらいら》してこう断ったんだが、他に時間のつぶしようもないことを納得すると、しぶしぶ『そう考えてもいい』ということになりました。しかし、いざ（死にのぞんだ男女が何をするか）と考えて実行にとりかかってみても、結局はありきたりな行為におわってしまうのです。このときほど私が、自分のイメージの貧しさと、夢に酔いきれない現実主義的な資質を惨めに思ったことはありません。

それでも、いろんなことはやってみました。ダブル・ベッドの天井いっぱいにギュスターヴ・モローの耽美的な絵のスライドを映し……そう、予言者ヨカナーンの生首を捧げる全裸のサロメとか、ローマ皇帝にさからい、百合の花に囲まれて殉教する親衛隊長聖セバスチアンとか、死にのぞんで愛妾のすべてを収隷に殺させて、そのありさまを金銀と宝石のベッドから冷たく眺めているサルダナパール王とか、そういったスライドなんですが。ええ、そろいもそろって徹底的な所有の夢に憑《つ》かれた神話伝説上の人物ばかりなのは、無意識の選択がはたらいていたのでしょう。そのときはただ、死にのぞんだ、と考えたい私の床のまわりを琥珀《こはく》いろの肉の狂い咲きで満たし、むせかえる体臭の香炉《こうろ》を焚《た》きこめたかっただけなのです。相かわらず、ワグナーのテープを鳴らしながら。

田舎者の趣味？　そうですとも。地下室を作ったり、奇妙な実験をはじめたときから、それはよく判っています。先祖代々の東京人で、東京生まれの東京育ちなのにもかかわらず、体質的に田舎者の愚かしさ、滑稽さ、偽《に》せ物の金ピカ趣味を持ちつづけていられるのが、私の誇りでもあるのです。とはあれ、こうした響きと色彩のゴブラン織、紫磨《しま》黄金《おうごん》の幻影にとりかこまれて、私はベッドわきの大鏡にちらちらする、自分たちのからみ合いを見ていました。あの鏡はわざと凹凸のあるガラスを用い、波状に変形して映るようにしてあるのは御存知でしたね。

私にも刺激がつよく、女も昂奮したのは、女に例の男のマネキンを抱かせ、その上から私が体重をかけてみたときです。ええ、この人形は二種類の使い方ができるように、尻のところに女性代用の器具も取りつけてあるのです。お互いの動作で人形は動きますから、女は、

『屍体に強姦されてるみたい。……私、気が狂いそう。恐い。恐い』

などと叫びながら暴れまわるし、私は私で吸血死鬼《ドラキュラ》でも抱いてるような錯覚を起しましてね。極彩色の光線。音楽の洪水。あちこちの鏡のなかでうごめく奇怪な姿……。しかもベッドのまわりには毛をつけた全裸のマネキンが黙々と立ちならんで、無表情に見おろしているんですからね。こいつは忘れられない経験で、私ははじめて、この実験をはじめた甲斐があった、と思いました。

朝から飲みつづけたブランデーやウイスキーの酔いが、そんなことをしているうちにいちどに発し、たぶん神経も昂奮の極、疲れはてていたんでしょうか、私たちはそのまま眠りこんでしまいました。ええ、マネキンをベッドからほうりだすのさえ物憂くって、背中にしがみついたままでね。

目がさめたら六時半でしたか、そろそろ鍵を外しにくる時間なので、大いそぎで服を着て、いぎたなく眠りこけている女を叩き起しました。これ以上地下室にいてはさすがに息が詰まりそうで、グロテスクなマネキンや、壁の写真など見るのも厭でした。早いとここの女に金をやって追っぱらい、風呂に入って垢を落し、女房の酌で一杯やりたい、なんてことを考えていたのですな。

ところが三十分待っても、一時間まっても、誰も鍵をあけにくる気配はありません。眠っているうちに女房が開けておいたのかと思って、壁をのぼっていって蓋を押しあげてみても、びくとも動きません。

『買い物にでもいってるのだろう。まあ待とうよ』

と、自分をなぐさめるように女に言って、私は骨附きハムをナイフで削ってかじりながらベッドの上でブランデーをのみはじめたのですが、そのときはじめて或る不安が湧いて、黒雲のようにひろがりだしたのです。もしかしたら事故が起って、女房が死んだか、記憶喪失にでもかかったのではないか。そうしたら私たちがここに入っているのを知っているのは、他にいないから、いよいよほんとに出られないことになる。

『君、昨日バーを休むとき、ここに来ることを誰かに知らせてきたかい？』

『だれにも言いはしないわよ』と女はもう泣き声です。

『だってあんた、他人に知られたくないから、誰にもここにくることは言うな、って言ったじゃないの』

私は頭を振って、ウイスキーをあおりました。

三時間ほど、私たちは黙りこんで過した。とうとう、女が言ったのです。

『ねえ、奥さんのことだけど、もしかしたらわざと……』

『言うな』と私はどなりつけた。考えればその可能性は極めて強いだけに、わざと考えまいとしていたのです。たしかに妻が、私たちに対して殺意を抱くことはありうる。結婚の当初はたしかに妻を愛しはしたけど、すぐに飽きてしまい、このごろでは女中のように待遇していた。自分ひとり刺激と性的充実を追いもとめて、妻はほったらかしにしていた。私が死んだら、まだかなり残っている財産は黙っていても妻のものになる。それから新しい夫をみつけて再婚することを、馬車馬のように働かされるばかりの毎日のなかで、妻がいちども夢想しなかったと、はたして断言できるだろうか？　女房が死ねばいい、とおれが何度か思ったこともあるというのに、女房がおれにそう思ったことがないと、断言できるだろうか？　そういえば（子供がいないから、あなたに先立たれたときに心配なのよ）という口実で生命保険に入れられたのは、つい去年のことだった……。

漠然とした殺意を育てているうちに、夫が得体のしれない女を連れこんで、地下室に入る。女は女房をみてもつんとして挨拶もしない。殺意ははじめて具体的なものになる。方法はいくらでもある。上にあるガスの元栓をしめてまた開ければかんたんにガス中毒するだろうし、空気孔をふさぐ手だってある。鍵をかけっぱなしにしておけば餓え死にするだろうし、死体が腐乱してから発見したことにして届け出て、ついでにガス・ストーヴに細工しておけば、やはりガス中毒で片づけられるだろう。空気抜きにホースを入れ、水道の水を注ぐ手もある……。

それとも女房には、もう別の恋人がいるのではあるまいか。疑えば疑えるふしはいくらでもある。鍵をかけておくかぎり出てこられないのをいいことに、家に恋人をひきずりこんで楽しみながら、私たちが餓え死にするのを待っているのでは？　ああ、軽率だった。不用心だった。

飛びおきて私はガス・ストーヴを消しました。女はすっかり脅えて『ねえ、どうしよう、どうしよう』とすがりついてきます。『うるさい』と私は突きとばしました。死を前にした男女の性的昂奮などありゃ嘘っ八ですな。じっさいにそうなってみるとそんなロマンティックなものはかけらほどもなく、散文的なものですわ。ただ、どうしたら助かるか、という以外のことは考えられなくなってしまうのです。

私は真鍮《しんちゅう》製の燭台をもって壁をのぼり、入口の上げ蓋とコンクリートの天井のあいだにさしこみ、全身の力をこめてこじりました。だが燭台はあっけなく曲り、上げ蓋はびくともするもんじゃありません。食糧は、と計算してみると、一昼夜の食事と酒の肴に持ちこんだチキン・パイとタン・ソーセージが一本ずつ、クラッカー四箱、レモン五箇、サンドイッチの余りが少々。幸いに不時のワイルド・パーティにそなえて、天井に骨附きハムの塊を一本ぶらさげておいたのですが、節約して食べても一週間持ちそうにはありません。魔法瓶二本の湯はもうなくなりかけていましたが、戦後しばらくここを暗室として使ったときに水道を配管しておいたので、水の心配だけはないのです。

室内を見まわして、わたしはいちばん重そうな映写機をとりあげました。ベッドの上にクッションを重ね、その上に立って天井の防音テックスを二、三枚ひきはがし、コンクリートの肌に映写機を叩きつけた。天井から埃が落ち、映写機はみるみる無残につぶれていったが、コンクリートにはひびさえ入れることはできません。背中の痛いのを我慢してしばらくつづけ、下から叩くのは損だと判って中止しましたが、なに、あとから考えると天井はいくら叩いても無駄だったのです。戦争中防空壕として地下室を作ったとき、直撃弾を喰っても大丈夫なように、死んだ親父が天井だけは四、五十センチの厚さにコンクリを盛っていたのですからね。

その夜はほんとうに、一睡もせず、茫然として過しました。女は青ざめて震えているし、私は私で、まわりのマネキン人形など見ていると無性に腹が立ってきて、映写機で殴りつけたのですが、こいつらが昔のように紙と石膏ではなく、何とかいうゴム質の材料でできているので、弾《はず》んではねかえしてくるだけで歯がゆいったらありゃしません。ギュスターヴ・モローもワグナーも糞くらえ、という気になって、発作的にLPレコード二、三枚を束ねて膝にのせ、へし折ろうとしたんですが、これがまた昔のエボナイト盤とちがって丈夫なプラスチックになってるんですな。うんうん唸っても駄目です。もちろん、すぐに馬鹿らしくなってほうりだしましたが。

ウイスキーをあおって、レモンを皮ごと半分ばかりかじって、何とか考えらしいものが浮かんだのは明け方になってからです。映写機をまたひろいあげて、天井や、壁や、床をあちこち叩いてみると、どうやら壁のそれも四隅ではなく中央あたりがいちばんコンクリの薄そうな響きがします。そこで、その部分めがけて映写機をかかえあげては叩きつけました。五、六回で映写機は完全にばらばらになってしまったので、重そうなものは何でもかまわず抱えてきて、叩きつけました。ナイフ、燭台、ベッドの脚、スライドのプロジェクター……疲れると女が代りました。手が破れて血がにじんだが痛くもありませんでした。

壁にわずかなヒビが入ったのは、椅子でまる一昼夜叩きつづけてからです。そこに物をつっこんでこじり、ガス・ストーヴを押しつけて熱してから、水をぶっかけて冷し、また叩いて、どうにか人間の通れそうな穴がコンクリートにあき、タールを塗った防水紙が見えはじめたのは、そう、空気抜きの光線の変化で数えると四、五日めぐらいになっていたでしょうか。

疲れはてて、ベッドに身をなげつけるようにしてとろとろと眠る。すると、人工的にいろんなこころみをしていたころには想像もできなかった恐ろしい夢をみるのです。灰色の原野のなかにマネキン人形の形をした死者が無表情にずらりと並んでいて、そのなかをとぼとぼと歩いていたり、死体といっしょに火葬場の窯《かまど》に入れられ、いくら叫んでもまわりの人たちは気がつかず、そのうちに棺の下で火が轟々と燃えだしたり……恐ろしさに絶叫して目をさますと、現実の地下室のなかにもマネキンがしらじらとした顔で上からのぞきこんでいたり、バラバラ事件の現場みたいに床にころがったりしてるじゃありませんか。気が変にならなかったのがおかしいくらいです。

いや、閉じこめられた、と思いこんだときから性交渉はいちどもしませんでした。それどころではありません。あれだけはげしい労働をしているのに食欲がなくて、ソーセージやハムも意外に長もちしたくらいです。糞便もいつかポリバケツ一杯になって、悪臭どころの騒ぎではありません。顔をみるのも厭で、女とはほとんど口を利かなかったが、むこうだっておなじだったでしょう。

穴があいてからは土竜《もぐら》のように、交代で土をかいだしました。土はたちまち地下室にたまってゆくのですが、土質が固いのでなかなか能率があがらない。おまけに地下水が滲みだして少しずつ地下室の床を浸してゆく。疲労困憊《こんぱい》、半死半生で、無意識のうちに手を動かしている。といった状態が、さあ、どのくらいつづいたでしょうか。穴はやっと、体半分が土のなかに入る、といったていどでした。

とつぜん鍵の音がして、何日ぶりかに地下室の蓋があげられ、光りがさしこんだのです。私はベッドに転がり、女がひとりで掘っていたのですが、無意識のうちに私はとびおき、壁をのぼり、地上にもがき出ていました。女房が悪意を持っているなら、上半身を地下室から出したとたんに脳天を薪割りかなんかで一撃されるかもしれない、という不安は、浮かぶひまもありませんでした。眼がはげしく痛み、不機嫌に立っている女房の足もとをすりぬけて燃料小屋の外に出たとたんに、私は失神しました。いや、女房に脳天を一撃されたわけではありません。単なる安心感からです。

私と女は全身衰弱でしばらく入院しました。むろん別々の病室です。入院中に私は業者に電話して、地下室を埋めさせました。ええ、マネキンも、ワグナーも、モローのスライドもそのまま埋めさせたんです。家へ帰ってからも、二度と見たくなかったのです。

もっと重大な問題が残っていました。さんざん考えてから、少し体調が回復するのを待って

女房にむかい、しごく冷静をよそおって、

『一昼夜たっても開けにこなかったのは、どういうわけかね？』

と聞きました。警察に渡すか、離婚するか、いずれにしてもただではおかない覚悟でした。

女房は、あっけらかんとして答えました。

『あら、一週間したら開けろ、っておっしゃったんじゃなかったの？』」

4

だが、はたしてそうだろうか。本当に夫人の聞きちがえだったのだろうか？

わたしが画伯と親しく交わり、装釘を頼んだりしたのは、これから半年ばかりの期間である。そののち、別に不仲になった、というのではないが、わたしの仕事が忙しくて誘いの電話を断ったことが二度ばかりあり、向うが都合が悪いらしくて断られたことが二、三度あり、何となく行き来しない状態がつづいていた。（秘密を知られすぎた相手を、人間は煙たがるようになるのかもしれない）と、わたしは或るあきらめとともに考えてみることもあった。

わたしを画伯のところにつれていってくれたK氏が、新しい情報をもってきてくれたのは、ごく最近のことである。

「画伯、また穴を掘りはじめましたよ。前よりもっと完全な設備のととのった地下室にするんだそうです。それだけならいいんだが……」

画伯の生き埋められ未遂事件を知っているK氏は、声を落した。

「別口の生命保険に入ったらしいんですよ。奥さんを受取人にしてね。それから、奥さんに、浮気をしろ、しろってすすめるんだそうです。奥さん、困りきって私にどうしたらいいだろうって聞かれるんですが、私だって答えようがありませんよね」

画伯が音信を絶っていらい、ひそかに感じていた危懼《きく》が、このとき急速に現実のかたちとなって、わたしのうちにひろがりはじめた。いま画伯を推している、暗い、ふしぎな、危険な衝動が、わたしには痛いほど感じとれたのである。一週間埋められていたことに、あきらかに夫人の意識的な企みがあったことを、殺意とまではゆかなくとも、夫を罰してやろうという気持ぐらいはあったに違いないことを、画伯も勘づいて、疑っている。一週間のあいだ夫人がさんざん考え、ときどきは殺意さえ起したろうことも、画伯は気づいている。気づいてかえって、そのスリルから逃れられなくなったのだ。スリルのさなかで性的な実験をするために、夫人が自分にこんどこそ本当の殺意を起す可能性があるように、画伯は慎重に罠をしかけているのだ。そして夫人は罠に気づき、しかもそれに惹かれている自分が恐ろしくて、K氏に打ち明けて相談することで自分を抑えよう、としたのだ。それ以外に、考えようはない……。

「でも、心配することはないでしょう。奥さんがあなたに相談されるくらいで、ぼくたちも事情をよく知っているのだから、画伯の死、なんて事態は、まず起らないと思うけど」

自分を安心させるつもりもあって、わたしは強く言ったが、まったく確信はなかった。自分も画伯の立場になれば、同じようなことをするだろうことを、わたしは知っている。画伯はあきらかにわたしとおなじ、危険な遊戯に魅かれてとどまることのできない体質に属している。

「なるほど、じゃあはたから、取り越し苦労をするには及びませんな」

と、K氏の声はやっと明るくなった。

狂宴

1

ボンベイという街には、どことなく淫蕩な雰囲気がある。

港町で船乗りが多く、女がその相手をする一画がある、という事情もある。あるいは他の大都市にくらべて、なぜか街頭に、女の姿が多いせいかもしれない。(インドでは、外で働くのはすべて男である。売子も、給仕も、ホテルの従業員も、公務員も、一人のこらず男である)

でなければ、最初にひらけたイギリスの植民地で、街ぜんたいに古風な油絵めいた、典雅な匂いのしみこんでいるのが、カルカッタの悲惨な荒々しさ、デリイの澄ましかえった現代的表情、マドラスの小市民的な小ぎれいさ、などにくらべて、そう思わせるのかもしれない。要するにこの、インド屈指の大都市には、人間のさまざまな欲望にたいする、格調ある優しさと、寛大さが、どんな小路の隅にも漂っているのである。

気温は高いが、海につき出した半島なので、潮風はよく通る。しかし夕方の凪《なぎ》のときには、肌がひとりでに湿ってくるほど蒸し暑いので、人々は誘いあって、夕涼みにでかける。そのためには美しい公園や、散歩するのに手ごろな、広い並木道がいたるところにあるが、いちばん多く人々が集まるのが、ホテル・タジ・マハルのすぐ下、海にむかって立っている壮麗な「インドの門」にそった、海岸通りである。

さまざまのカーストに属する老若男女が、さまざまの顔をし、さまざまの衣裳を着て、夕暮れの海に見入り、あるいはヒンドゥー語で喋りあっている。それらを目あてに、油で揚げた菓子や、手すさびの品や、熟れすぎて腐りかけたような熱帯の果実を売り歩く商人がくる。痩せほそった半袖の乞食が、身をかがめ、手をつきだして歩く。少しはなれると、波の打ちよせる間遠な響きに混って、それらの声が、蠅の唸り声のように聞えるのである。

背景には、インド寺院風の壮麗なホテル・タジ・マハルが、夕焼けの空を切りぬいて建っている。

そのホテルの、海を見おろすロビイの籐椅子で、わたしは夕食後の、疲労に汗ばんだ体を休め、パイプをくゆらせていたのである。なぜ疲労したか、というと、その夜わたしが選んだ献立ては物好きにも純粋のインド料理で、というのはつまりわたしは、錫《すず》の皿に盛った各種各様のカレエ、未熟かあるいは腐っているとしか思えない各種各様の香辛料《スパイセス》、ぱさぱさの米や溶けかけた野菜、まったく味のない大魚の切り身、などの、たっぷり三十分はつづいた拷問を、耐えしのんだことになる。しかも料理人や、裸足に黄色いターバンの給仕人どもがよってたかってわたしの口に押しこんだ炭火は、まだ頭のてっぺんあたりで燃えつづけていて、わたしとしては額や首筋に流れおちる汗だけでも、早急に乾かす必要があった。

まわりにはおとなしそうなアメリカ人の老夫婦、めずらしくインド人の、サリイをまとった少女と話しこんでいる、ヒッピー風の白人の青年がいるきりである。暮れなずむ海には、平たい三角形の、ラテン・リグという帆を張ったはしけが、点々と白く残っている。そのさらに沖にはインド海軍の、灰いろの航空母艦や駆逐艦が浮かんでいる。目の下の、インドの門の向うはヨット・ハーバアで、派手な色に塗り立てた外洋帆船《クルーザア》が何隻《せき》も、つながれているのである。

日本で、いま作っているクルーザアのことを、わたしは思いだした。いまは五月で、この月末に日本に帰るとすぐ進水のはずだが、工事が遅れに遅れているので、この夏に間に合うかどうかもはっきりしない。かなり船に心を残したまま、わたしはこの、インド旅行に出発したのだった。

どうせこれから、ベッドに入るまで、何もすることはない。インドは禁酒国で、ホテルのバアに入っても、あまりうまい酒はなく、高くて、雰囲気もはずまない。それよりは散歩がてら、あのヨット・ハーバアまで降りていって、インドの外洋ヨットを見てこよう。細かい仕上げや設備に、わたしの船の参考になる点が、あるかもしれない。

そう考えて、わたしは立ちあがった。アグラのホテルで手に入れた青と黄いろのインド・シルクのシャツに、白いニッカボッカ、ニーレングスの靴下に房のついた靴下止め、サンダルという、いかにも旅行者と判る服装のまま、ホールをとりまいた螺旋形の、大階段をおりていった。


みすぼらしい英国製のタクシイを停めた裸足の運転手が、しきりに客を引いている。夕涼みの人々が屯《たむろ》しているインドの門と、厳しい表情をしたインド副王の像のあいだを通りぬけて、港へ降りてゆく。白いヨットが何隻ももやっている突堤は、すぐ近くである。

微風《そよかぜ》のある、美しい夕ぐれである。船を出すのにこれ以上のときはない、と思われるほどの気象なのに、ヨットの上にあまり人の姿はない。ペンキを塗ったりサンドペーパーをかけたりしている、痩せて敏捷そうなインド人の少年は、管理所にやとわれている職人見習なのだろう。しかし突堤の反対側にまわると、たったいま帰ってきたらしい三十六フィートぐらいのヨットから、数人の乗り手が降りてくるところだった。

白人の青年が二人、インドの上流人らしい悩ましげな目と眉をした美青年が一人、もう一人は四十前後の東洋人の女だが、どうもわたしの感じでは、日本人なのである。のみならず向うも、それとなくわたしに注意を払っているらしい。潮の匂いをただよわせた一群とすれちがう

ときに、わたしは、

「今晩は」

と、声をかけてみた。はたして、間髪《かんはつ》を容れず、女も嬉しそうに、

「今晩は」

と、答えてきたのだった。

「この船を、お持ちなのですか」

「お友達のですけれども」

そう言って女は、例の悩ましい目をしたインド人の美青年を指した。インド人にしてはめずらしく判りやすい英語で、青年は、

「あなたも、ヨットがお好きなんですか」

と話しかけてきた。

「わたしも、いま日本で、一隻作っているところです」

そのことをインド青年は、同行の白人青年二人にあらためて言い、とたんに、わたしは打ちとけた、海と風と、太陽と雲とについての、共通の趣味をもつものの共感のなかに、迎え入れられたのである。

管理事務所の二階にある、風のよく通るクラブのサロンに誘いこまれて、わたしは楽しい、

ヨットについての専門的なおしゃべりのなかで、いま故郷をはるかにはなれて、インドに来ているのだ、ということを忘れさせられた。青年は二人とも感じのいい、優雅で礼儀正しい紳士たちで、ことにインド青年は北部の貴族階級に属し、有名な猛獣ハンタアだということだった。しかし、とくにわたしの興味をひいたのは、乗り手のなかでただ一人の日本人である、女性だった。

ただ女性で、しかも四十前後という年に似ず、若々しい魅力を持っていた、というせいばかりではない。三人の青年が彼女に対して、女王に仕えるようなうやうやしい態度をとっていた、ということだけでもない。インドで見る日本の女が、サリイをまとったインド上流女性の、優雅さ、美しさ、色気にくらべて、誰もかれもがさつで、粗野や、下品で、醜く見えたのに、この女性ばかりは彼女たちに少しもおとらない、美しさと気品をもっていて、わたしが三人の外人男性のまえで、同じ日本人として彼女を誇らしく思う、まれな機会に恵まれたせいでもない。

会話は英語でされ、わたしの語学力の足りぬ点だけを彼女が日本語で聞きとって、すばやく通訳してくれる、という形をとったのだが、そうしたまどろっこしい話のなかにうかがわれる彼女の考えかたが、まことに自由で、官能的である、ということに、わたしは何よりもおどろいたのだった。

といって、日本語に訳すると、彼女の発音はあまり上品とはいえなくなってしまうので困るのだが、むりに直すとこんな意味のことを喋ったように覚えている。

（帆柱を倒したヨットほど、情ないものはなくてよ。まるであれのたたない男性みたい）

（デッキで、波に揺られながら裸でねころがっていると、あたしのお尻の山のあいだまで太陽に舐められているような気がするわ）

くりかえして断言するが、彼女のなめらかな、さらりとした口調の英語で、その紅い口から聞くと、それらの言葉がまことになまめかしく、美しく聞えたことは、信じてもらわねばならない。だんだんわたしは、彼女への興味が強まるのを覚え、すると日本人同士が不慣れな英語で喋っているのが物足りなく思われはじめた。おなじ感情を彼女も持ったのか、ふいに日本語で言ったのだった。

「明後日の朝、ボンベイ空港からお発ちでしたね」

「はい、残念ながら」

「それでは明日の夜、七時にあたくしの家にいらっしゃいませんか。車をお迎えに出しますから……申し遅れましたけど、あたくし、寺岡遼子と申します」

こうしてわたしはインドでふしぎな日本女性と、思いがけなく知りあいになったのだった。

2

翌日の昼間の、市内見物のあいだも、わたしが上の空だったことは言うまでもあるまい。早めにヴァイキング料理の夕食（これはちゃんとした洋風で、ヒンドゥー教徒には禁制の牛肉も、回教徒にはタブウのハムやソーセージもあり、十分に満足すべきものだった）をとると、わたしは自室の、古めかしいベッドに仰向けになって、本を読みながら、迎えのくるのを今や遅しと待っていたのである。

七時きっかりに、ベルが鳴った。電話が、面会人のあることを教えている。こんなときのために持ってきていたミドナイト・ブルウのスーツを着込み、ワイシャツやカフ・リンクスやネクタイも十分に気を配って準備万端ととのえていたわたしは、弾みをつけて飛びおき、滑りやすい大理石の廊下に駆け出した。

蝶ネクタイをしめ、きちんと背広をつけた三十五、六の男が、ロビイでわたしを待っていた。

「わたくし、寺岡遼子の夫です。お迎えに上りました」

彼女に夫がいることを、何となくわたしは想像していなかったので、ちょっと慌てた。しかしすぐに自分をとりもどして、挨拶した。それにしてもこの男は、どうしても遼子より年下に思えるのはなぜだろう。貰った名刺には、日本のある有名商社の、支店長の肩書きがあった。

入口には光りかがやく、大型アメリカ車が停っていて、白い制服と制帽の運転手が、挙手の礼をした。ボーイが飛んできて、ドアをあける。クロークも昼間よりはるかに丁重に弾《はじ》かれたように上半身をかがめるのである。

運転手の白服の胸には商社のマークが縫いつけてあり、車にもマークがついていたから、すべてその会社の威力なのにちがいなかったが、それにしても一支店長がこれだけの贅沢ができるのは、日本では想像もできないことだった。

その思いは、静かな広々とした道を十五分ほども走って、邸に到着したときに、いっそう強まった。広々とした芝生の中の、城のような家である。玄関の上には、象とも人ともつかぬ奇妙な神の像が色タイルで嵌《は》めこまれ、照明に映えている。のみならず車を止めて、玄関まで歩いてゆく途中で、誰もいないと思った芝生の上から、にょきにょきとインド人が生えてきて――まさにその感じだった――庇《ひさし》のない帽子に手をあてて、敬礼した。何かにそなえて、芝生にインド人を埋めておくのかな、とはじめわたしは思ったほどである。

「いや、暑いので、芝生の上で寝ているんです。人件費がとても安いので、わたしどもなんかでも、十五人の使用人をかかえています。日本で家政婦ひとりやとっても、下手すると月に四、五万はかかるでしょう。彼らは月に三千円でやとえますから、これでも内地で家政婦ひとりやとうのとかわらないわけです。ごらんのように部屋もいらないし、服は洗えば三十分で乾くから、二着もあれば十分だし、しかもおとなしくて、とてもよく働きます」

わたしの疑問を、そうときあかして、支店長は笑った。

玄関まで、昨日の彼女が出むかえた。

宏壮《こうそう》な邸に似ず、地味な黄いろいワンピースを着て、まったく日本でくらしていると同じ感じの、ありふれた四十歳の主婦だった。昨日、白いヨットパーカーにスラックスのいきな姿で、流暢な英語で（マストを倒したヨット……）などと喋っていた女とは、とても思えなかった。

四十畳ほどの、中央に大理石の噴水があり、アーチ形の柱で裏口に開いているサロンには、昨日のハンサムなインド青年と、金髪の若い娘と、日本人の若夫婦がいた。夫のほうは眼鏡をかけた神経質そうな小男、女は若いものの、ちょっと類を見ない醜女《しこめ》だった。しかし体だけはよく発育して、肉感的で、痩せぎすの金髪女より生き生きとはしていた。ドーティと呼ぶだぶだぶの上衣に青い腰巻きをつけ、例の庇無しの帽子をかぶった給仕が、うやうやしく氷や、ウイスキイ、ブランデエの類を置いていく。

室内は薄暗くしてあるので、裏庭の芝生に月の照るのが明るく見える。花や、果物の芳烈な香りがただよっている。部屋の中央の噴水は照明で、内部から照らされるように工夫してあるので、なかなかロマンティックな雰囲気である。

「今日は、ひごろ特に親しくしている、気のおけない方ばかりを選びましたのよ」

と女主人の遼子がいった。

「だから、どうぞお気楽になすって下さいましね」

「いやでも気楽にさせられてしまいますよ。そのうちに」

と、金髪娘がなめらかな日本語で言ったので、わたしはおどろいた。彼女は日本に長いこといたのだと、女主人が説明してくれた。憂《うれ》わしげな目差《まなざ》しのインド青年も、声を出して笑ったところを見ると、片言ぐらいは判るのかもしれなかった。わたしを気楽にさせよう、と思って、日本語の判る客ばかりをそろえたのか、と思ったが、実はこのメンバアはしょっちゅうサロンに姿を見せていて、それで自然日本語が、ここでは使われるようになったらしいことが、すぐ判った。

小柄な夫と醜女の妻の組合わせは、外交官だった。彼がわたしの本を読んだことがあって、親しみを見せてくれたので、おかげでわたしはここでも、旧知のなかにいるようにグループに溶けこむことができた。

酒は、うまかった。といっても、ブラック・アンド・ホワイトや、オールド・パアや、ヘネシイなどの、日本でも名の通った洋酒にすぎなかったが、物うげで、口数が少ない、暖かい人々の雰囲気が、大そう居心地がよかったのだ。酒がまわるにしたがって、ここにいる六人の男女が、非常に密度の濃い、静かな連帯感のようなものでつながれていることが感じられて、わたしは妬《ねた》ましくさえなった。

誰かのちょっとした身ぶり、ほんの一言でさえ、座の全員に、残りなく意味が通じているらしいのである。それはあまり日本語を喋れない、インド人の美青年ですら、そうである。ある官能的な許しあい、いたわりあいが、六人をつらぬいているように感じられる。

酒の酔いにまかせて、わたしはその疑問を口にしてみた。

「そうかしら」と、女主人の遼子は笑った。

「このごろ毎晩、みんなここで顔を合わせてますからね。いつかお友達以上になったのかもしれないわね」

「もともと、気の合った連中が、残ったのです」と、青年外交官が、低い声で言った。

「要するに、退屈しているんですよみんな。だから、他人が何を言っても、よく注意しているから、判るんですよ」

遼子の夫はそう言って笑ったが、その声は何だかそらぞらしかった。

「それだけかしら」と、醜女の、外交官夫人が、ちょっと露悪的な口調で言った。「退屈しているからっていうのならほんとうだけども……でも、いまにお判りになるわよ」

何か思わせぶりが感じられて、わたしは首をかしげた。打ち消すように、その夫が言うのだった。

「そう、退屈なんですよ。この暑い、空気の匂いのいい贅沢な自然と貧しい人間のいる土地で。……昼寝にはむいている土地です。しかし昼寝以外のことは、なにをする気もしなくなる土地でもあります」

「でも」と、はじめて金髪の女が、口をひらいた。「いいんじゃないでしょうか、この方には。……もう隠さなくとも」

一瞬、みんなは黙りこんだ。わたしはわけが判らなかった。

「わたくしは、昨日お話しして、どんな方か知って、お誘いしたときから、そのつもりだったのよ」

と、遼子が、静かに言った。

「小説をお書きになる人だしね。堅苦しいことはおっしゃらないだろう」

と、外交官。

「どうですか。ジャレパット君」

軽くあくびをしながら、遼子の夫が言った。

「わたくしは、かまいません。……けっこうです」

と、奇妙な発音ながら、ゆっくりと、インド人の美青年がいった。

いままではすっかり判っていたのに、急激にみんなの考えていることが判らなくなって、わたしは自分ひとり、とつぜん火星人のなかにでも投げこまれたような、不安を感じた。必ずしも、わたしの酔いのせいではなかった。何かしら六人のあいだに、わたしをめぐって、濃厚な感情の渦が流れはじめていることがわかり、その正体が判らないために、どうにも対処のしようがなくて、馬鹿のようににやにや笑いながら、黙っているほかはなかった。

「どうも失礼いたしました」と、親しげに遼子が話しかけてきた。

3

「実はあたくしたち」

と、言いながら遼子が手をのばして、ひんやりした指先でわたしの手をとったので、少なからずおどろいた。横目でその夫をうかがったが、まじめな顔つきで、目を伏せていて、反応がわからない。あまつさえわたしのぶこつな指に、細い指をからめたり、撫でたりしながら、遼子は言葉をつづけるのであった。

「このメンバアで、いつも集まっては、お芝居をしていますの」

「はあ、結構な御趣味で」

としか、わたしは言いようがなかった。

「数人の集まりではありますけれど、他の誰にもお見せしないので、かえって自由に、思いきったことができますの」

「そうでしょうな」

下手くそな素人劇団の芝居でもみせられるのかな、とわたしは少しうんざりして考えた。しかし、こんな快適な夜を、思いもかけぬインドくんだりで供されたのだから、眠気をもよおしても鑑賞しなければなるまい。

だが、次の言葉のニュアンスは、素人劇団にしては、少し変だった。そのことにわたしは、もっと早く気付くべきだったのだ。だがこのときは、酔いのせいもあり、漠然と聞き流しただけだった。

「それは何も、わざわざお芝居の形をかりてすることはないわけですけれど、でも、何の束縛もしないから、自分を自由に表現してみろ、って言われても、なかなかできはしませんわね。歌だって自由に歌ってみろといわれたら、どうしてもいままで覚えた歌のつぎはぎになってしまうし、踊りだっておなじでしょ。男と女のことだって、完全に自由に楽しむのは、難しいんじゃございませんか？」

若い不器量な外交官の妻が、ぶっきら棒にいった。

「お芝居だからって、練習はしません。台本はみんなの知っている本のなかから、なるべく動きと言葉の多いわたしたちの目的に合う本をえらぶんです。一人、地の文を読む人を決めておき、会話はそれぞれの役の人がするんです。もちろん演技もします」

「どうでしょう」と、遼子の夫が、うす暗いスタンドの下から提案した。「今日のお客さんに、読む役を引き受けていただいては」

「ただ、読むだけでいいんですか、それなら」

と、かなり興味を起していたので、わたしは即座に引き受けた。

「配役は、じゃ、さっき決めた通り、いいことね」

と遼子が念を押す。声が奇妙に昂ぶっている。

みながうなずいた。ある戦慄《せんりつ》、というか熱気、というか、動物的な精気のようなものが急速にサロンにはみなぎりはじめ、わたしは少し気味わるくなった。

「いま、ここでやるんですか」

とわたしは念を押すように聞いた。サロンはたしかに広く、芝生にむかって開いており、十分に動く余裕はあったが、舞台らしいものは何もなかったからだ。

みなは一瞬、黙りこみ、金髪女だけがおかしなアクセントで、

「そうです」

と、いやにはっきりと言った。何かに向って、みなの暗い精力みたいなものが集中しかけていて、それをわたしの間《ま》の抜けた質問が邪魔したことが、このとき判った。

「こちらがいいでしょう。読み役は」

そう遼子の夫がいって、スタンドの下の、大きい肘掛椅子をわたしにゆずった。ちょうど本が読めるていどの明るさである。お手のもののインド更紗と皮で、豪華な装丁をされた一冊を、わたしは渡された。中ほどにしおりがはさんである。まわりをすかしてみると、一座の男女はみな、薄っぺらな紙切れを持って見入っているふうである。

せりふをしゃべる必要上、本の上演する部分だけを、複写機で撮ったものにちがいなかった。インド青年だけがその紙を横に持っているのは、英語かローマ字で、いわばふりがながつけられているのだろう。

金髪娘が、インドの線香に火をつけた。梔子《くちなし》の花をもっとあくどくしたような匂いは、怪奇な官能的な彫刻をほどこしたインドのどこの寺院にも満ち満ちている香りだった。

日本で嗅《か》いだら胸の悪くなるようなその匂いが、この月光と熱さと花々と噴水の音と水のきらめきにみちた、物憂いインドの夜にはふしぎに似つかわしく、快よいのだった。

しおりの頁《ページ》をわたしは開いた。「バグダッドの軽子《かるこ》と三人の女」とあった。千夜一夜物語だな、とすぐに判った。それから（なるほど、こんな晩、インドの古めかしい邸で上演するには、うってつけの演《だ》しものだな）と考えた。たしかにボンベイは、アラビア海とペルシャ湾をへだてて、バグダッドとは向いあっている、といえなくもないほどの位置にある上に、両方とも回教文化の遺跡を多く持っており、風俗や人々の顔立ちも似通っていて、雰囲気としては申し分ないように思ったのである。しかしそのときは酔いのために、この有名な一節を、現実に上演すれば、どんな問題が生ずるか、まだ思いいたらなかった。

「はじめのうちは、演技もセリフも入りません」と、遼子の夫が言った。「ただ、どんどん読んでいって下さい」

そこでわたしは、ただ、どんどん読みはじめた。多少、呂律《ろれつ》がまわらなかったけれど。

「むかしむかし、バグダッドに一人の軽子がいました。ひとり者で、妻をめとろうとはしませんでした。ある日のこと、たまたま町に出て、ぼんやりと枝編みの笊《ざる》によりかかりながら、たたずんでおりますと、目の前に立派な女が立ちどまりました……」

その（モスル絹の面紗《ヴェール》には金の刺繍をほどこし、金襴の縁飾りをつけ、靴にもまた黄金の飾りを添え、髪毛は長く編み垂らした）美女に声をかけられて、軽子はオリーヴ油のように透明な漉し酒や、エジプトのライム果や、ダマスクスの白睡蓮《びゃくすいれん》や、皮をむいた巴旦杏《はたんきょう》や、砂糖菓子や、竜涎香《りゅうぜんこう》や、クリーム乾酪《チーズ》や、要するに贅沢と歓楽に必要と考えられる品々のすべての買物に、供をさせられる。そして黄金の板金をはめた、黒檀の扉を通って、円柱を建て並べた邸のなかに連れこまれるのである。

門番の、これも美女にむかえられて、地階の広間に通る。ここまで読んで、わたしははじめて、この物語をこの部屋で上演しようとする意味を知ったのだが、地階の広間の、（まん中には美しい噴水を中心に、満々と水を張った池もあり、高座の上手の端には杜木《むろのき》づくりの寝椅子があって、これには宝石や真珠がちりばめてあるほか、榛《はしばみ》の実くらいのものや、もっと大きい真珠で縁どりした、さながら蚊帳のような紅朱珍《しゅちん》の天蓋がついていた）のである。

ここに第三の美女がいて、それからただ一人の男と、三人の女の、強烈な歓楽がはじまることになる。

ここまで読んでゆくあいだ、人々はただ黙って、静かに聞いていた。読みすすみながらわたしはようやく心配になってきた。というのは、このあとで展開される千夜一夜の物語は、はなはだ容易ならぬ、官能的なシーンだった、という記憶が浮かびあがってきたからである。

「こんなふうにさんざめきをつづけているうちに、お酒がきいて頭の調子が狂い、みんな分別などなくしてしまいました」

そうわたしが読んだとき、遼子の夫が手をあげて、

「じゃ、ここからはじめます」

といった。ここから芝居がはじまるらしい、と思って、わたしは読みすすんだ。

「したたか酔いがまわると、門番女は立ちあがって、一糸まとわぬ素裸になりました」

「少しゆっくり読んで下さい」

遼子がそう言い、わたしは目をあげて、息を呑んだ。例の金髪の女が、立ちあがり、ブラウスを頭からぬぎかけていたからだ。

4

まさか、と思ったのに、金髪娘はするすると服を脱ぎ、下着をとり、物語に書かれている通りの全裸になってしまったのである。ピンを手早くぬき、金髪を波うたせて胸に垂らす。大理石で畳んだ池のふちに片肘をかけ、続きをうながすようにわたしを見た。うす暗い部屋にさしこむ月の光、低い響きをたてて砕ける水の反射を浴びて、金髪娘の全裸は、一瞬、神々しいほどに見えたのである。

義務に気づいて、わたしはつづきを読みはじめた。

「けれども下着のかわりに毛髪を体にたらすと」なるほど、その通りのことをしたわけだ、とわたしは思った。「池の中にざんぶと飛びこんで」

水音がした。ざんぶと、いう感じではなかったが、娘は泉の底に身をよこたえ、なめらかな水に肌を愛撫させていた。池はごく浅かったので、肩と腰と脇腹は出てしまい、その上に月光と噴水がきらきら光りながら降りそそいでいるのだった。その優美な曲線の上を、娘は水の中で、愛《いと》しげに愛撫した。胸のとどろきを排して、わたしは読みつづけた。なんだか自分が、物語をすべて現実のものとする能力をもった魔法使いになったような気がした。あるいはわたしは、インドのふしぎな魔法の力で、千年の時間をさかのぼり、数千里の空間を飛翔して、いまバグダッドの乱倫の宴《うたげ》に、実際に居合わせているのかもしれなかった。

「家鴨《あひる》のようにもぐってみたり、あちこちと泳ぎまわりました。そして口に水をふくんで軽子に吹きかけたり、また手足や腋《わき》のあいだや腿の内側や、臍のぐるりを洗ったりしました」

たしかに金髪娘は、それらしい身ぶりで、池のなかで身をよじっているのだった。立ちあがり、池を出て、例のインド人の青年の狩猟家の前に、手を腰にあてて立ちはだかった。

「それから池を出て、軽子の膝に身を投げ出して、申しました」

しかし金髪娘は、股をひらいて、インド青年の前に立ちはだかったままだった。そして、奇妙なアクセントの日本語で、こう言ったのである。

「もし殿よお。わたしのコイビトよお。このシナモノわあ、なんというのう？」

その後にある、（そして細長い切れ目、つまり裂け口を指しました）という通りの動作をしているらしいことが、背後の、わたしの位置からは見当がついた。痩せた背筋に水滴の光っているのが、全身に銀のしずくをふりかけたように輝いて見えた。そのしずくは肩にかかっている金髪のあいだにも、おびただしくきらめいているのだった。

「ソレワア」

と、ハンサムな猛獣狩猟家は、女を見上げたまま、本に書いてある通りのセリフを言った。しかし、(玉門といいます)というセリフを、あやふやな発音でしゃべると、女がとつぜん、

「シェイムオン、ユー」

と叫び、青年のすんなりした頸《くび》を平手で軽く打ったので、わたしは何かで女が気を悪くしたのか、と思った。しかし、本をみるとこれは(ほっ、ほっ、そんな言葉をつかっても、はずかしくないの?)という文を、言いやすい英語で喋っただけだ、ということが判った。動作もたしかに(相手の衿口《えりくち》をつかんで、さんざんなぐりました)と指定してある通りのことをしたにすぎなかった。もちろん、ごく軽い真似ごとだったが。

インド青年はごくまじめな声で、英語で聞きとりにくい言葉をしゃべったが、これは日本語の文で(子つぼですよ。おまんこですよ。云々)とあるのに対応する、スラングを言ったのだろう。それからあとは英語と、ふしぎな発音の日本語との、混合で芝居はすすめられたが、感心したのは二人とも大まじめに、熱心に演技していて、日本人ならふつううかべるであろう照れ臭さや、恥ずかしがりの表情は、決してみせないことだった。

しばしばわたしは、その光景にみとれて、自分の役割を忘れた。物語の筋は要するに、男が女の肉体を、知っているかぎりのさまざまな名称で呼び、女はその無礼をとがめて首筋を殴る、というだけのものだが、英語やフランス語のスラングで呼ばれたときはともかく、「ボボです

……核《さね》です」と奇妙なアクセントの日本語で、その俗称を発音されたときには、わたしはむずがゆい感じと同時に、白人女とインド青年がとつぜん肉体の秘密の場所を、眼前に露わにし、押しつけてきたような、生々しい興奮を感じたものである。しかし他の四人は、笑いもせず、けだるそうに眺めているきりである。しかし、

「一同は盃をまわし、また飲みほしました」

という件《くだ》りをわたしが読むと、いっせいにざわめきが起ったのは、めいめいブランデエやウイスキイを手近のグラスにつぎ、乾盃の用意をしているのだった。わたしも急いで、サイドテーブルのオールド・パアをタンブラアに注ぎ、一緒にのみほした。酔いはいちだんと激しくなり、まともな姿勢を保っていられなかったが、頭の芯だけはひんやりしていた。まさに、これは悪夢にちがいなかった。盃をあげると、こんどは、醜女の外交官夫人が、細い撫で肩に吊っていたインド・シルクのミニ・ドレスを、ふわりと足もとに落したのである。みるみるブラ・カップを外し、パンティスをとり、池のなかに踏みこみ、静かに体を横たえる。肌のむれた匂い、かすかな腋臭《わきが》の悩ましい匂いが、花の香りと、芝生から吹き入る熱い空気に混った。

顔はみにくかったが、体は美しかった。肌は浅黒かったが、筋肉は逞しく、腿は固くつややかに締まっていて、牝馬を見るようだった。その身をひねって、女は浅い池にころがり、体をひらき、水を口にふくみ、噴水めがけてふきあげ、あるいは四つん這いになって、絶えまなく

ふりかかるしぶきを背や尻にあびた。水はいく筋にもわかれて体から流れおち、女は低く「ああ、ひんやりして、いい気持」とつぶやいたが、これは台本にはのっていない言葉だった。

濡れた体のまま外交官夫人は、あぐらをかいて床に坐ったインド青年の膝によりかかった。それから逞しい腿を立ててひらいたが、こちらからは影になっていて、何も見えなかった。それから女は日本語を使い、インド青年は「ヴァギナ」とか「コン」とかいうラテン語やフランス語で答えて、おなじやりとりがあった。男に馬乗りになって、首筋を打つ音は、さっきと違って力がこもっていそうで、痛くはないのかと、わたしは少なからず心配になり、いそいで先を読むのだった。「莢《さや》をむいた胡麻の実」と、外交官夫人が正解を言い、あとはまた先のいっせいの乾盃があった。わたしの胸はあらためて高鳴りはじめた。「千夜一夜物語」では、この次にいちばん年長の、いちばん美しい女が、軽子を相手におなじふるまいをくりかえすことになっているが、残っている女は、あとは遼子ひとりしかいなかったからである。

彼女の裸をみたい、という気持と、彼女だけにはそんなふるまいをしてほしくない、という感情の、わたしは板ばさみになった。他の男の前で、彼女がそんな淫らなふるまいをするのは苦痛だったせいもあり、魅力的だとはいっても四十をすぎているにちがいない彼女が、先の二人の女に匹敵するほど美しい体を持っているかどうか、気がかりだったせいもある。しかし、わたしの気持にはおかまいなく、遼子はグラスをおくと、すらりと立ちあがって、軽やかな足どりで噴水の方へ歩みよるのだった。

黄いろいワンピースの、背のジッパアを外すのに、若い外交官が立ちあがった。殻から身を起す昆虫のように、遼子は割れた布を肩の左右に垂らしたまま、しばらく胸を抑えていた。それから、するりと下に落した。

すさまじい興奮を、わたしは感じた。たぶんこれは、遼子の着ていた服が大げさな舞台衣裳みたいなドレスでなく、ごく地味な、あたりまえの服だったから、逆に自分の恋人が脱衣しているときのような、現実感と生々しさを感じさせたせいであろう。

下着の白さが、うす暗さのなかで、くっきりと目立った。皮を脱ぐようにそれらをはぎとり、全裸で立った。小気味よく痩せていて、胸と腰のゆたかさが目立った。

わたしは吐息をついた。そのなかにはたしかに、安心感もまじっていた。寺岡遼子の体は、少しも崩れても、老けてもいず、みごとに均整がとれていたからだ。乳房はややたるみがめだったが、それさえも重たげな量感があって、魅力的だと言えた。

何よりも、動きが美しかった。泉の方に歩いていって、池の底に身を横たえる動作は、てきぱきとしていて、軽やかで、体のどこかが絶えず、小きざみに鋭く動いており、無駄がなく、器用だった。よく女が見せる恥じらいや、優雅と勘ちがいされるのろのろした動きとは、まったく縁遠かった。日本舞踊によくある女らしい曲線的な動き、というより、小きざみの直線的な動きを、ごく短かい時間に連続し、それが全体としては、曲線をなしている、といった感じだった。彼女はタップ・ダンスの練習か何かをしたことがあるのではないか、という気が、ふとわたしにはした。

乳をおさえて、体が水に沈む。全身の生ぶ毛《う》に気泡が上って、遼子の体は生身のクリスマス・ツリイのように、銀いろに輝いているのである。魚のように身をひるがえすとき、ひとむらの海藻が、おびただしい微細な泡を吐きながら、そよぎ立った。

こんどは、インド青年の膝に腰をかける。さすがにそれほど膝はひらかないが、セリフは前と似たりよったりである。外交官夫人も遼子も、外人との交際が長いせいか、これも日本人によくある照れかくしの不真面目さはない。そのためにわたしは、いよいよこれが仮の、芝居にすぎないのだ、とは思えなかった。すさまじく緊張して、わたしは遼子の、一挙一動をみまもっていた。……もっとも酔いははなはだしく、いくら目をこすっても焦点はさだまらず、女の琥珀いろの体は、猛獣狩猟家の黒光りする膝にまたがったまま、ふわふわと宙を飛んだり、さかさまになったりしていたのだが。

自分がそのあいだ中、義務を忘れずに読みつづけていたのかどうかは定かでない。しかし、やがてインド青年は立ちあがり、ぴったり身についた詰衿の白い上衣と、青い腰巻き状の布を脱ぎはじめたから、おそらく芝居は、台本通り進行していたのだろう。強烈な体臭を匂い立たせて、猛獣狩りやヨットのほかにも、あらゆるスポーツで鍛えぬいたらしい、くっきりと筋肉の彫りこまれた、固そうな裸体が、黒檀の彫像のように池のふちに立った。

膝をついて、身を沈める。浅い水ごしに見ると青年の浅黒い体はいっそう黒くなり、ほとんど輝いてさえ見える。昼間、陽光の下で見るときは、日本人の少し黒い男とおなじくらいの浅黒さに見えるのに、部屋が暗いから、真っ黒に見えてしまうのである。

水面から、体の大部分をあらわにして、猛獣狩猟家はしばらく、ぶあつい手で水をすくっては、胸や、腿や、腋の下にかけていた。それから、すっくと立ちあがった。わたしは息をのんだ。幅広の短刀のような漆黒の肉体が、美青年の下腹にはすでに反りかえり、上下にかすかに息づいていたからである。

もうわたしは、地の文を読むのを、完全に忘れていた。おかまいなく青年は、裸足に大理石をふみしめて、三人の、裸の女のほうへ歩みよった。金髪女の膝にもたれ、手は外交官夫人の膝にかけ、脚は寺岡遼子の膝のあいだに投げだし、自分の熱い短刀を指して、鋭く何かを問うたのである。

女たちは笑った。演技という感じはもはやしなかった。哄笑しつつ、金髪女が鳥のように叫びかえした。

「ペニス・ファルス！」

「ノオ！」

と、インド青年は叫び、金髪女の腋の下に顔をうずめた。女が悲鳴をあげたところをみると、噛みついたのかもしれなかった。外交官夫人と寺岡遼子も、笑いころげつつ、交替に何か――いや、原文通りはっきりと「ちんぼこよ」と――叫び、それをいちいちインド青年は、

「ノオ！」

「ノオ！」

と手みじかに答えつつ、女たちの乳の下や、顎の下や、下腹やに、かみついているのだった。

酔いのせいだろうか。やがてわたしは、インド青年の堅い腕が、寺岡遼子の体にまきつき、スローモーション映画のような緩慢さで、ゆっくり押し倒してゆくのを、見たように思うのだ。他の二人の女は、げらげら笑って青年の尻にかみつき、すると青年は飛びあがって、次の女を押し倒すのだった。こんどは遼子が青年の腕をくすぐり……ふとわたしは、隅の方でひっそり坐っていた、遼子の夫と若い小男の外交官のことを思いだして、身を起して眺めた。わたしの目が、酔いのあまりの幻覚症状を起しているのでなければ、二人の男は長椅子の上でしっかりと抱きあい、はげしく唇をむさぼりあっていた……。

5

ベルが鳴って、わたしは重たい眠りからひきもどされた。「シクスオクロック・サア」と言って電話は切れた。今朝八時発の飛行機に乗るために、モーニング・コールを頼んでいたことを思いだした。

まぎれもなくここは、タジ・マハル・ホテルの、わたしの部屋だった。寺岡遼子の邸の男二人のからみあいを見たとたんに、意識はとぎれていて、どうしてホテルに戻ったのか、さっぱり判らなかった。裸足のポータアを呼び、荷物をリムジーンに積みこませ、痛む頭を抑えながら手ばやく仕度をととのえてフロントへ出た。夜勤の事務員が鍵をうけとりながら、意味深長な笑いをみせたが、おそらくわたしは、泥酔してかつぎこまれたのにちがいなかった。

寺岡遼子とその夫に連絡して礼を言おうにも、アドレスを教わっていないのだった。心を残したまま、わたしは空港に駆けつけ、機上の人となった。

さいきんわたしは、ヨーロッパ旅行の帰途、たまたまボンベイに立ちよった商社員と知りあいになった。もちろんパーティの内容は伏せたまま、わたしは遼子の夫がつとめていた会社の名前を言い、その支店長夫妻というのを知らないか、と聞いた。

「そういえば、あの事件かな」

と、商社員は、首をかしげた。

「心あたりがあるのですか」

「あるどころじゃない、大さわぎでしたよ。だからぼくも、たまたま立ちよっただけなのに、その話を聞かせられたのです。ぼくがボンベイに来る、一月も前の事件でしたけどね」

「何んですか、その事件とは」

「いや、心中事件ですがね。それが二人じゃなくて、いちどに六人、いっしょに毒薬を飲んで、同じ場所で死んでいたんです。そう、支店長夫妻と、外交官夫婦と、インドの青年と、スエーデンの女がね。この六人はいつも集まって、何かしら猟奇的なことをやっていたらしいんですがね。書きおきは何もなくてさっぱり原因が判らない、というんです」

おそらく、とわたしは考えた。彼らはあの熱い国で、考えうるかぎりの歓楽を極めつくしたのだ。そして、それでも退屈し、つぎつぎと新しい刺激を求めて、いろんなこころみをしていたのではあるまいか。わたしをゲストに「千夜一夜」を演じているときの、彼らの熱心でありながら物うげな、真剣でありながらつまらなそうな態度は、そうとしか考えようがなかった。おそらく彼らは台本を、つぎつぎととりかえてゆき、ついには最後の、もっとも危険な台本を選んだにちがいないのだ。だが、それは何だろう。

「何か、その現場に、本とか、その複写のようなものは落ちていませんでしたか」

「さあ、それは別に聞きませんでしたけどね」

さいごの、全員の生命をかけた公演には、ありふれた既製の台本など、なまぬるくて使う気になれなかったのにちがいない、とわたしは思った。だが、その彼らの、さいごの〝公演〟が、どんなに熱気をはらみ、真剣で、緊張と興奮にみちたものだろう、と考えると、わたしは瞬間、はげしい妬みの感情をさえ、抑えかねたのである。

甘美な牢獄

1

秘画・淫具・歓喜仏・性書のたぐいを集めていることで有名な寺院が、台北の郊外にある。宗旨は道教だから、正式には寺でなく、観《かん》、と呼ぶべきであろう。先日、台湾に遊んだとき、わたしは友人といっしょにそれらの〝秘宝〟を拝見したのだが、いずれも数十年以上の由緒ある品らしく、線香の煙や蠟燭《ろうそく》の煤《すす》でまっ黒になっていて、いちいち説明されないと、何が何だかさっぱり判らなかった。正直に言えば、あまり面白くはなかったのである。

しかし、境内はいかにも中国の寺院らしく、けばけばしくて華やかだった。門からして絵本の竜宮城のようで、白い土の上には反りかえった金いろの屋根、朱いろの柱、白と紺青の壁をもった小さな堂宇がいくつも点在し、あまつさえそのあいだには、極彩色にペンキを塗りたくったコンクリートの虎、獅子、象、猿、鷲、亀などが並べたててある。シンガポールにもある有名な胡文虎の公園と同じ趣向である。

烈しい陽ざしをさけて、軒の深い蔭から蔭をつたい、人気のない境内を歩いていくうちに、いつか寺院の裏に出た。表庭とのあいだは鉄柵で仕切られているが、いまは鍵が外れ、半びらきになっていて、通りぬけられそうである。寺院は樹のほとんどない岩山の、中腹を切りひらいて建立されたことが、この裏庭に出てみると判る。自家用らしい小さな菜園をへだてて、裏はすぐ、切りそいだような崖になっているのである。

崖には横穴がいくつも掘られて、そこだけくろぐろと、強烈な陽ざしを吸いこんでいる。ちょうど戦時中の日本の防空壕の感じである。穴には薪が積みあげてあったり、セメントの袋が入っていたり、中身の判らない桶が置かれたりしていたが、その一つのまえで、先に歩いている友人の足が、ふと止まった。

その穴だけ、ものものしい鉄の格子がはめてある。熊でも飼っているのかな、と思って、のぞきこんでみて、背筋が寒くなった。といっても別に恐怖を覚える必要はなかったのだが、あまり意外だったので、そんな感覚が走ったのである。

ぼろぼろの服を着た人間が三人、その洞窟のなかには、閉じこめられていた。

一人は髪を長く垂らした女で、もう二人は男だった。冷たい空気といっしょに、凄まじい悪臭が漂ってきた。女はわたしたちをみると、くるりと背をむけてしゃがみこんだ。もう一人の男は鉄格子につかまって、歯をむき出して笑ってみせた。もう一人の鬚だらけではあるがまだ若そうな男だけが、炯々《けいけい》と光る目でこちらを見つめたきり、身うごきもしなかった。

おそらく狂人か、寺院の規則を破った罪人なのだろう、と思われた。あるいは修行のために、自らすすんで、洞窟にとじこもっている道士かもしれなかった。しかし三人のうちの坐ったきり動かない若い男は、どうも気にかかった。もちろん、心当りはなかったが、あるいは向うは、わたしの顔を知っているのかもしれない、と思われた。とすると、日本の新聞や雑誌を読める、戦前の教育を受けた台湾人なのだろうか。もしかしたら日本人ではあるまいか……。

向うの鉄柵に姿を見せた若い道士が、大声を出して箒《ほうき》を振りあげ、追い立てる真似をしたので、わたしたちは表庭にまわった。しかし日本に帰ってきてからも、あの檻《おり》のなかにいた奇妙な男のことは、心にひっかかってしかたなかった。

台北の消印のある、みごとな日本字の手紙をうけとったのは、それから半年も経ったのちのことである。

もし人違いでしたらお許し下さい。しかしたぶん、間違いないと思います。雑誌の小さな写真でときどき拝見するだけですが、あの洞窟の前に立たれたとき、確かにそうだ、と判ったのです。そのあと書かれたものを読んで、やはりあの時期、台湾に来ていられたことを知り、急に手紙を出す気になりました。

　あんな洞窟のなかで、檻にとじこめられて、獣のように暮している私たちをみて、ずいぶん驚かれたことと思います。しかし、そのことの説明はあとにまわすとして、まず私の、幼いころの経験から知っていただきたく思います。日本語を習ったのは国民学校のときまでで、そののちはあまり使う機会がありませんでしたので、言いかたの下手な点がありましたら、お許し下さい。

　私は高砂《たかさご》族だった父母のあいだに、当時日本領土だった台湾で、日本人として生まれました。日本の同化政策は徹底していて、言葉も日本語以外は禁止され、教科書も日本語、服装も、都市では住居まで日本──当時は内地といいましたが──風のものを押しつけられていたのです。といってもまだ子供の私には、それが自然なことで、押しつけられたという感じは、それほどありませんでした。

　父親は役所の小使いをしていました。住んでいる家は小さくて、二部屋しかなく、一部屋は日本風に畳を敷き、もう一部屋は土間で、ここを炊事にも食事にも使いました。隅には寝台があり、父母はここで眠り、私は日本間の畳の上で寝かせられました。私を東京の大学に進学させるのが両親の夢で、そのために畳の生活に、子供のときから馴染ませよう、と考えていたらしいのです。もっとも、私が小学校に入った年に大東亜戦争がはじまり、台湾出身の若者もどんどん兵隊にとられたり、徴用で内地に連れてゆかれたりして、それどころの騒ぎではなくなったのですが。

生活が苦しいので、両親は遅くまで、土間で内職をしていました。紙袋を貼るとか、そういった仕事だった、と思います。私は先に寝かせられるのですが、暗くて寂しいので、間の襖をいつも少しばかり、開けておいてもらいました。そうして両親の姿を見、話し声を聞いていると、安心して眠れるのです。紙のバリバリいう音、糊の煮える匂い、黄色い暗い電球、天井から下っている鶏肉入りの粽《ちまき》、燻製にして赤く染めた豚の脚、蛙の肉をきざみこんだ餅の油紙包み。ぼそぼそとした両親の声……。私の幼時の記憶は、まずそういった、なつかしいけれどもどこか物悲しい光景からはじまっています。

甘い、ちょっと哀切な幸福感に満たされて、私は布団を顎《あご》までひきあげる。身をちぢめて、眠りに入る準備をする。両親の声や、いろんな物音は、近づいたり遠ざかったりしながら、しだいに薄れてゆく。古い台湾の民話にある、長い尻尾をもった、黒いねばねばする眠りの妖精があらわれて、私の目に、糸をかけはじめる……。そんな、蜜のような半睡のときに、とつぜんある不幸な思いが、私を襲うのです。それは、はっきりと、怖い夢のかたちをとって、あらわれることもあります。

何というのか、それは、父母が自分をのけものにしている、という確信です。とにかく二人は、自分を邪魔にしている。わざわざ寝顔をのぞきこみにきて、（もう眠ったよ、大丈夫だ）とひそひそうなずきあっていることもある。子供というものは両親の想像以上に狸寝入りが上手いもので、こんなことはちゃんと知っているのです。あるいはほんとうに眠っていても、夢うつつの境で、耳に入ったことはやはり覚えていたりします。

子供が眠ってしまったから、何が大丈夫になるのかは判らない。とにかく自分が邪魔にされていることは確かである。そしてそのあとに、何か子供には悪いとされていること、しかも魅力にみちたことがはじまるのも確からしい。そういえばのぞきこみにきた母親の顔は、世帯づかれした昼間の表情とちがって、何かキラキラする、期待と生気にみちた仮面でもつけているように思われる。あるいは昼間の疲れた顔が仮面で、夜は子供には決して見せない、別人のような素顔に戻るのかもしれない。何がはじまるのかは判らないが、とにかくそれが、子供としての、自分の存在を、完全に否定し、それと対立する行為であることは、確かなように思われたのです。

昼間は自分は、両親の関心を一身にあつめていた。しかし自分が眠りこむのをみすまして、二人のあいだには、自分以上に関心をひくものがあらわれるように思われる。自分に隠して、何かの御馳走をつくって、食べているのかもしれない。たしかに、そんなことも何度かあった。しかし事実は、もっと鋭く、甘美な悲哀に満ちたもののように、思われてならないのです。

いまの私なら、むろん私が両親に感じた、のけものにされている感じの原因を、かんたんに説明することができます。しかし子供の私には、そんな夫婦のことは、想像もつかなかった。それで私は、あらゆる奇想天外な説明をこころみて、自分を納得させようとした。その説明にも、自分の気に入るものと、気に入らぬものとがあり、気に入ったものだけを残してゆくうちに、とうとう一つの結論に達したのです。

(両親はきっと、子供の自分が眠りこんでから、二人で自分を食べてしまう相談をしているんだ。あの奇妙な優しさ、生活に疲れた昼間とはうってかわって生き生きとした表情、早く自分を眠らせたがる様子、何か自分に隠し、秘密を持っているような顔つき……間違いない。それ以外に考えられないじゃないか。きっと自分が眠りこんだら、母親は豚を殺すのに使う、よく砥いだ庖丁を持ってきて、自分の柔らかい腹に突き立てるのにちがいない。父親がバケツの中に血を集めて、あとで腸詰を作るのだ。ピクピク動く内臓は新しいうちに近所の人に配られ、粟酒を用意して夜おそくまで起きて待っていた連中は歓声をあげてかぶりつくのだ。新しい豚の内臓とおなじように、うす切りにし、葱《ねぎ》やカラシやニンニクの薬味をたっぷりとまぶして)

そう考えて、(よし、それなら今夜は、眠ったふりをして起きていよう)と考える。しかし起きていても、いざ両親が庖丁をもって入ってきたときに抵抗できるかというと、まったく自信はない。力でも何でも、両親にはかなわないことを、いままでさんざん教えられているからです。こっそり起きて逃げ出してもいいけれども、どこも行くあてはない。親類のところへ行って（父母にお腹を割かれて、殺されそうだから、逃げてきた）といっても、ほんとうにされないにきまっている。むしろあきらめて、おとなしく殺されるほうが楽かもしれない……。そう考えていると、悲しみがだんだんたかぶってきて、頬を涙が流れることもあります。一方睡気のほうもしだいに強まってきて、とうとう頬に涙の筋をのこしたまま眠りこみ――むろん、翌朝になるとけろりと忘れているのですが、毎夜の半睡のときに、こうした奇怪な夢想は、かならず私を悩ましにくるのでした。

学校で配給される絵本のなかに、鬼婆の話がありました。これは台湾にも伝わっている伝説ですが、日本でも黒塚とか、安達ケ原とかいう謡曲に、似たような話がとり入れられていることを、私はずいぶんのちに知りました。要するに旅人が、山や野原のなかの一軒家に宿をとる。夜半にふと目をさましてのぞいてみると、鬼婆が刃物をといでいる。こっそり逃げ出すと、鬼婆は形相《ぎょうそう》すさまじく追いかけてくる。そういった話ですが、あるいはこうした絵本からの連想があったのかもしれない。いや、むしろ逆に私は、子供が夜半に目をさまして、また起きて何か秘密のことをしている両親に気づいたときの気味わるさ、それこそ両親が別人になってしまったような怖さ、自分が邪魔ものとされていることの悲しさ、しかし他に頼るものとてない寂しさ、などの実際の体験から、こうした伝説が作られたのではないか、と考えることさえあるのだが、それはまた別のことです。

あるいは——と私はさいきんになって考えるのですが——この、両親に殺され、調理され、食べられる、という夢想は、逆に両親から殺され、調理され、食べられたい、という欲望の、変形ではなかったのでしょうか。たしかに、子供を殺して食べる、などということは、秘密の、いけないことだった。何か秘密の、いけないことを、両親が、私の眠りこんだあとでしているのは、うすうす気づいていた。同じ秘密のいけないことは、裏の小父さんや、表の若夫婦も、隣りの橋本の両親も、みんなしているはずだった。私のおさない想像では、そうしたいけない楽しみは〝こっそり食べる〟という形でしか理解できず、そこに自分が子供として加わる方法は、食べられる立場しかないはずだった。私の腹が開かれ、内臓が近所隣りに配られ、食べられる夢想は、たしかに大人たちの秘密の楽しみに、自分も加えられたい、という希《のぞ》みのあらわれかもしれなかった。

しかし、この夢想に、性的な色彩がまったくつきまとっていなかった、とはいえない。殺され、調理され、大鍋に入れて煮られ、天井からぶらさげられて保存される夢は、しばしば見ましたが、奇妙なことに両親が、まず関心を持つ部分は、私の幼い男根なのです。それを母親がマナイタの上にひっぱってのせ、父親が半月形の庖丁をもって、機嫌よく、鼻歌を歌いながらリズミカルに、輪切りにしてゆく夢も、数回にわたって見たことがあります。そして困ったことにそれが、私にはあきらかに性的に快いのだった……。

2

たぶん私は、想像力の過剰な少年だったのにちがいない。学校の成績は、それほど勉強しないでも、良いほうだったが、仲間といっしょに棒切れを振りまわして、走り歩くことはあまりなかった。子供たちのそのほかの楽しみといったら、銅鑼《どら》を鳴らしてやってくる紙芝居を飴をしゃぶりながら見るぐらいだったが、それも私には、つまらなかった。

そのかわり私が熱中したのは、三月にいちどぐらいやってくる、曲馬団、サーカスの一座です。象やライオンをそろえた貨車を何十輛も借りきってやってくる大規模なものもあれば、旅まわりの芝居一座に綱わたり、玉のりが付属したぐらいの、ささやかなものもあったが、いずれも異国的な雰囲気と、華麗さと、スリルと、一抹の物悲しさをもっていて、私の夢をそそって止まなかった。インドやヨーロッパ、ロシヤから来る曲馬団がエキゾティックなのはこれは当然のことだが、私たちにとっては〝内地〟からくるサーカス一座も、また違った意味で〝異国的〟に感じられ……たまさか訪れる夢の世界に、少しでも長く浸っていたいばかりに、私は新聞配達や、砂糖キビの刈り取りや、茶摘みや、バナナ畑の手入れなど、子供でもできる、いまの日本の言葉でいえば〝アルバイト〟に、精を出していたのです。

そしてある日、街角の電柱や、麗正門、重熙門《ちょうき》のあたりに、極彩色のポスタアが貼られる。それから公演のはじまる日までは、期待のあまりよく眠れない日がつづく。そしてとつぜん、学校の帰りなどに、お披露目の行進に出会うのです。陽気な楽隊を先に立てて、象や、馬や、檻に入った熊や、ピエロや、馬車、人力車を何台もつらねた一行が、蘇鉄《そてつ》や棕櫚《しゅろ》の植えられた、烈しい日射しの衡陽路や重慶南路――もっとも当時は栄町とか本町とかいっていましたが――を、手をふり、ビラをまきながら、ゆっくり進んでゆくのです。

魂を抜かれたように、あとをついて歩きながら、私は馬車に何人も相乗りしている座員たちのなかに、一所懸命に或る顔をさがしもとめていた。或る顔、といっても、見知った顔ではない。あるときはそれは金髪で青い目をして、頭にリボンを結んでいることもあれば、あるときは真白に塗り立てた白粉の下で、京人形のように無表情な、黒い眼をみひらいていることもある。しかしいずれも、痩せていて、無表情で、どこか物哀しげな、同年輩の（サーカスの少女）で、彼女がその日から、次の一座が街にあらわれるまでの、私のひとりぎめの恋人となるのでした。

首尾よく、好みにあった、そうした〝流浪の美少女〟を見かけると、私の胸はときめいた。たまたま彼女が、虚ろな眼を、道ばたにたたずんでいる私に投げかけたりすると、もうそれだけで私は頭がくらくらとし、町にみなぎっている白い光が耐え難いものとなり、濃い暗がりを作っている停仔脚《アーケード》の下に逃げこんでやっと息をつくのでした。

貯金箱をこわして、いちばん安い席に何度入れるかを計算する。行く先は誰にも言わずに――サーカスを見ることは禁止されていたわけではなかったけれども、他人に喋ると、それだけ秘密の楽しみが減るように思われたのです――テントを張りめぐらした小屋にでかけ、後ろの席に立って、のびあがりながら舞台や、天井を眺めるのです。馬の上での逆立ちがある。肥った大男が、腹に板をのせて、象に踏ませる力業がある。同じ象が足し算をして、賢こそうな眼ざしで、数字の書かれた黒板を鼻でとりあげる。熊が出て来て、逆立ちをする。それらに目を奪われながら、私の関心は、絶えず楽屋の方に注がれている。昨日見たパレード以来、意中の人となった少女がいつ出てくるか、何をするのだろうか、それがいまは私の、いちばんの気がかりになっていたのです。

たいていは休憩のあとに、天井からするするとブランコがおろされ、ファンファーレといっしょに舞台には――やっと彼女が、まぎれもない私の、片想いの恋人が、颯爽《さっそう》と姿を見せているのです。何人かの先輩と組になり、肉いろのタイツをつけ、ぴったりと喰いこみ、キラキラしたキャルマタをつけて、弱々しい微笑を浮かべながら。

空中ブランコや、玉乗りなどで、彼女が大胆な、あざやかな芸を見せると私は感嘆のあまり、息も吐けなかった。たまたま小さなミスをしたり、先輩から意地わるく小突かれたりしているのが目に止まると、わがことのように胸が痛んだ。それにしても彼女たちはみな、一座では最年少の部類に属するためか、芸をはじめるまえは緊張のあまり青ざめ、唇を軽く嚙み、目をキラキラ光らせ、おくれ毛のかかった額の際には汗さえ浮かべているのが、たまらなくいじらしく感じられるのでした。

ああ、ひごろ彼女には、どんな猛訓練が課されているのだろうか。体を柔かくするために一日五合の酢をのませられるというのは、ほんとうだろうか。きっとそうにちがいない。でなければあんなに柔軟に、体が反り、くねるわけはない。それにしても天井高くすっくと立った彼女の、スパングルが光るキャルマタの股間の、男とちがって何のふくらみもないことの、何となまめかしいこと……。

噂話にあるように、あの体を彼女は、夜ごと好色な、鬚だらけの団長や、陰険そうな猛獣使いの、いやらしい楽しみに供しているのだろうか。言うことをきかなかったり、逃げ出そうとしたり、病気で練習を休んだりしたら、あの熊を打つ太い鞭で、びしびしと叩かれるのだろうか。

サーカスの子役は、みんな孤児か、でなければ親もとからさらわれたり、金で買われたりしてきた子供たちだ、という伝説が、まだひろく信じられていた時代でした。むろんのこと私も、彼女たちが実の親もとから引き離されて、悲しい辛い旅をしているのだ、と思いこんでいた。

そう考えると、私はあらためて彼女たちに、はげしい共感をも覚えたのです。自分は両親といっしょに暮してはいるが、それは夜になると怪物に変る親たちだ。二人がいつか、自分を太らせて、料理して食べようと考えているのは、誰も信じてはくれないけれども、自分だけが知っている真実なのだ。そうだ。きっと、いまの自分の両親は、ほんとうの親ではないにちがいない。彼女たちが両親からサーカスに売られたように、自分もほんとうの親からひきはなされ、怖ろしい下心を隠したいまの両親のところに、物心つくかつかないかに、貰われてきたのにちがいない。

子供らしい私の想像は、とめどがなかった。そして、きっと自分と、あのサーカスの少女は、姉弟なのだ。その証拠を彼女は、ひそかにもっているにちがいないのだ。お腹のわきに、両方ともアザがあるとか。頭にツムジを、三つずつ持っているとか。思いきって打ちあけてみたら、彼女も（そうよ、ほんとうは私、小さいときに別れた弟がいるはずなの）といって、可愛らしい白いお腹を出して、お臍《へそ》のよこの、アザを見せてくれる。ほんとの姉弟なら、あんたにもこれがあるはずだ、という。むろんこちらも、急いでそのしるしを見せる。彼女は、つよく私を抱きしめ、

（もう離れないでいましょうね。この世の中に二人きりの姉弟なんだから。あなたもサーカス団に入ってこれからいっしょに、世界中をまわるのよ。ほんとうの両親をさがして）

と言ってくれる。そこで二人はさめざめと甘い涙にくれるのだ。

しかし彼女と私は、まったく同じであってはいけなかった。彼女は年齢はたしかに私とおなじだったが、サーカスに入ってあちこちをまわっているうちに、むりやり大人の世界にひきずりこまれていて、あの夜の、秘密の何かの結社に、すでに入っているのだった。その限りでは彼女は両親や、裏の小父さんや、表の若夫婦や、隣りの橋本の両親と、同じ種族に属しているのだった。彼女はそれを厭がり、まだ子供でいたいのにちがいなかった。それでもサーカス団の団長や、厭らしい猛獣使いたちのために、むりやり、仲間に入れられているのだった。

ここまで理屈づけて、当時の私が考えていたのかどうか、自信はありません。しかしサーカスがくりひろげる、絢爛《けんらん》として肉感的で、奇妙に気づかれする世界と、私が眠ってしまってから大人たちが変貌してくりひろげる、何かしら〝悪〟の匂いのする世界とは、ふしぎに共通して思われたのはたしかです。そして彼女はサーカス側の、つまりあちら側の人間だから、その秘密を知っているのはたしかだった。そして私は観客にすぎず、つまりこちら側の人間だから、永遠の秘密には加えられないわけだった。

サーカスが来るごとに、片想いの恋人は変りました。あるときはそれは、箱に入れられて胴切りにされながら、一瞬後にニコニコと元気な姿をあらわす金髪の美少女であるかと思えば、あるときは毎日毎日、大砲に詰められて、白煙とともに発射される、弾丸人間の中国少女だった。それを見ているうちに、だんだん私は、ただ想像しているだけでは、我慢ができなくなりはじめたのです。

要するに、見ているだけでは物足りなくなり、何かのかたちで、彼女たちにかかわりあいたくなったのだ、と思います。夢想家のくせに、私にはへんな実行力があった。あるいは夢想家だからこそ、現実の障害は目に入らなくなるのかもしれず、それだけ熱中家で、たとえば、いろんなアルバイトをやってサーカスを見にゆく金を溜めたりしたのでしょうが、同じ実行力が、このときも働いていたのです。

サーカスの小屋がけの、裏口をうろうろして、私は根気よく見張りをつづけた。目当ての少女にはまず会えなかったし、化粧を落とし、まったく普通の少女のなりをして彼女が出てくるときも、仲間や先輩といっしょのことが多くて、話しかけられなかったが、相手を選ばなければ、機会はいくらでもあった。一座の看板女優といった大物ではなく、年増の優しそうな女芸人が一人で出てくるのを見ると、すっと寄っていってノートをつき出す。

「サインを下さい」

という。それから「ぼく、ファンなんです」ぐらいつけ加えれば、あまり注目もされない女芸人はとたんに上機嫌になって、五分や十分は話相手になってくれたり、あるいは自分から進んで、お菓子ぐらいはおごってくれたりするものです。こちらがまだ小さな、小学生であることも、向うの警戒心をとき、ほんとうに純粋な、自分の芸に対する讃嘆だ、と思うものらしかった。

「サーカス団に入るのは、むずかしいんでしょうか」

と、私は聞く。おそらくこんな入団志願者はどこにでもいるらしく、向うはおどろきもしない。

「さあ、入るのはやさしいけど、入ってからが大変よ、勉強もできないし」

「ぼく、勉強きらいなんです」

その年で早くも、私は学歴のない女芸人に媚びることを知っていた。

「そんなこと言っちゃだめよ。これからは誰でも学問がなけりゃね。それに、お父さんやお母さんが、許してくれないわよ。お家でおとなしく勉強していた方がいいわよ」

「ぼくのお父さんやお母さんは、ニセモノなんです。ほんとのお父さんやお母さんは、よそにいるんです」

「まあ、何で」

「……ぼくが眠ってから」思いきって言った。笑われるかもしれなかったが、それも快い期待でないことはなかった。「お父さんやお母さんは、ぼくを殺して食べる相談をしているんです。それで、早く寝ろ、早く寝ろ、というんです」

はたして、女は大きな口をあけ、毒々しい口腔や金歯を見せて笑いだす。「そんなことないわよ。子供をだれが食べるもんですか。変なこと考えないで勉強だけしていた方がお利口よ」拒まれて、しかし私は、ほっとしているのでした。本心から私は、入団したいわけではなかった。それならついていらっしゃい、といわれたら、困るにちがいなかった。この事情もやはり夜の大人たちの世界と、子供の自分の関係と似ているのでした。夜おそくまで起きていて、両親に、これから大人たちがすることの仲間に入れてくれ、と要求はしたい。しかし要求が容れられたら、それも困るにちがいない。やはり、拒んでほしい。何を拒まれるのかしらないが、拒むのはたぶん、母親の方で、父親は面白そうにニヤニヤ笑って見ているにちがいない。それが想像どおり、子供の自分を料理し、食べる儀式だとしたら、自分は食べられながら、同時に首をのばして、自分の腹のなかに突っこみ、食べているにちがいないが、その光景には何だか、予想のできないすさまじい猥褻《わいせつ》さの感じがつきまとうように思われる。とても加わる勇気はない……。

やはり、拒まれるのがいいだろう。そして大人たちのふしぎな儀式を、微笑を浮かべ、甘美で悲痛な感情をたっぷりと味わいつつ、自分は不幸だ、という気持に酔いしれつつ、眺めているのが居心地がいい。うっかり加えられたりしたら……身の毛がよだつ。

3

日本は戦いに負け、台湾の運命はかわり、平和だった私の身の上も変りました。父親は国民政府に徴用され、行方不明になり、それを悲しんで母も死にました。私はいちおう電気技術の学校に入っていたので、電気器具の修理や何かで生活し、やがて工場に就職し、結婚しました。

奇妙なことが起った。どういうものか私は、肉体的に花嫁と、一緒になれないのです。直前まで行って、触れただけで、私は昇りつめ、すべては終ってしまうのです。妻は高砂族の旧家の出で、当節の女性には珍しく処女だったので、しばらくは耐えているようでしたが、三月めにとうとう、ぷいと実家へ帰ってしまった。私のほうは、それより先にノイローゼ気味になり、工場で仕事も手につかず、ときどき自殺を考えたりするほどになっていたのです。笑われるかもしれないが、私にとっては、それほど深刻な悩みだった。

そのころ友人の一人から、この岩山の上にある、道教の観のことを聞いたのです。秘画や淫具や歓喜仏の蒐集《しゅうしゅう》で、旅行者のあいだには名高いが、地元の人間のあいだではむしろ、坐禅や断食やその他の修行で、そうした男女の悩みを解決し、救ってくれる、ということで有名でした。というと淫祠《いんし》邪教のように思われるかもしれないが、事実あらゆる宗教は淫祠邪教的な一面を持っているものだし、その要素をなくして、生々しい、人間の悩みや喜びに背をむけたとたんに、宗教は形骸化し、亡びてゆくのではないか、と私は思います。

老子像のかざってある本堂で、私は幕の向うに坐っている道士に、いっさいを告白した。じっと聞いていてから、寂《さ》びた声が答えた。

「まだあなたは、自分の迷いの本体が、つかめて居らぬようじゃ。しばらくここで、修行してゆきなさるかな」

むろんそのつもりで工場には休暇願いを出して来たのですから、否やはなかった。

それから断食がはじまった。そのあいだには道場の拭き掃除などの作務《さむ》や老師の講話や、坐禅などがあるのは、禅宗の修行とおなじです。変っているのは、おそらく阿片の混っている香を嗅がされながら、耳もとで銅鑼《どら》をガンガン叩かれる。波のうねりのような大声の呪文を聞かされる。空を飛んだり、地に潜ったりの暗示を与えられる。犬に変えられたり、猫に変えられたりする。

要するに一種の催眠術でしょうが、術をかけられているときの恍惚感は、一度覚えたら病みつきになり、それがこの観に、信者の絶えない理由でもあるのです。

とうとう精神が朦朧《もうろう》となった或る日、私は暗い堂のなかに呼び出された。まわりには誰もいず、虎に騎《の》った老子像と対座させられ、阿片の混った薫香がただよっている。

地の底からのように呪文や、太鼓や、銅鑼が聞えてきて、しだいに私は、魂が体を抜け出し、空中を――そう、天井の鈍い金いろを沈めた梁のあたりを、浮遊している気持になった。坐っている自分が、老子像にむかって、何度も舟をこぐように、頭を垂れているのが見える。

深い声が、どこからともなく聞えてきた。

「汝はいま、すべてを捨てる。自分のすべてから解きはなたれる。仕事も財産も妻も、子も忘れ、あどけない子供に帰る。無心な幼な児に……。さあ、何かが見えて来た。何が見えるか」

とつぜん私は自分が、あの幼時の、半睡のときに戻っていくのを知ったのだ。目前におぼろげに浮かぶものを、必死で私は表現した。

「両親がいます、……もうとうに死んだ父親と、母親が、……二人は明るい土間で、夜なべをしている。私はこちらの部屋に寝かされている」

「もっといろいろなものが見えるはずじゃ。……言え。何があるか」

「母親が立ってきた……顔をのぞきに来た。ふしぎなわらいかたをして、父親のところに行く……。よく眠っています、大丈夫よ、といった」

「それから、言うのだ」

「ああ」

「言え、言うのだ」

「は、はい」

無我夢中で、私は喋っていた。そうだ、いつか私は布団をぬけだし、両親のそばに立っていた。父親はなぜか、私に気づかぬのだった。「駄目よ。いけませんよ、悪いことですよ」といいながら、母親は機械人形のようになめらかな動きで、股をひらいてゆくのだった。(早く、早く)と私は自分に言いきかせた。(父親が気づかぬうちに、早く、早く……)母親のなかに自分をすべりこませるか、こませぬうちに快楽は頂きに達し、私は果てた。伴奏のように母親は、(駄目よ、駄目よ、いけませんよ)と喋りつづけている。

父親が、ゆっくりとこちらをむいた。すさまじい、腐りかけた死人の形相《ぎようそう》だった……。

「ああっ」

と私は叫んだ。

「ああ、老師。私は畜生道に堕ちました」

「そうじゃ」と、深い声が、堂にこだまして、とどろきわたった。「汝は畜生じゃ。浅間しい畜生じゃ。よく判ったか」

「判りました……ああ、私はどうすればいいのだ……お願いです。私を畜生として取り扱って下さいまし。そのほかに、私が救われる道はありません。ああ、何と浅間しい……」

あたりは、しんと静まって答えはなかった。はるかな高みをすさまじく風の吹き過ぎる音がしばらく聞えていて、それから私は気をうしなった。

わずかな粥《かゆ》を与えられて、私は次第に回復しはじめた。観のほうからの「教えさとし」が示されるのは、ふつう三日から、十日ののちだった。そのあいだ観では、経験ゆたかな老師たちがあつまって、その男をほんとうに救うためには、どういう道があるかを、協議しているのにちがいなかった。

観の救いが徹底している、というのは、文明国の精神科医のように、社会復帰を必ずしも最高の目標とはせずに、あくまでも本人の幸福のみを目標として、道しるべを教える、という点にあります。それが本人にとって、いい、と判断すれば、自殺をさえすすめることもある。同じように、五日ののちに私に与えられた「教えさとし」も、まことに徹底をきわめたものだった。

「観のうしろの洞窟に」と顔の見えない声は言った。「夫婦者がとじこめられておる。男はもともと寺の下僕であったが、迷いこんできた狂女と一緒になって、自分も狂人となったものじゃ。不憫《ふびん》であるゆえそのまま飼うておるが、もはや畜生同然じゃ。さて生物はすべて空気より生まれ、水となって死ぬ。したればこの夫婦は、たしかに汝の両親の、転生でもある。汝は畜生の子として、彼らと同じ檻に入り、畜生なりの孝養をつくすがよい。汝が十分に救われた、と思うときまで。よいか」

それから私は、御覧になった洞窟で、狂人の夫婦とくらすようになったのですが、弱った精神のせいか、少しも抵抗は感じなかった。のみならず、この狂人夫婦が言われた通りにしだいに、死んだ両親のように思われてきたのは、奇妙なことです。汚さも、暗さも、湿気も気にならなかった。

いや、正直に書きます。私にとってここは、意外に楽しい場所なのです。女狂人は色情狂の傾向があり、道士を片端から誘惑しだしたので、この檻に入れられたらしいのだが、むろん私にも、それを誘う。とくに拒む気はなく、夫の狂人が眠っているときを見すまして、誘いにのる。夫のことが気がかりで、たちまち果てるが、気がつくと男は、寝たふりをして、目をあけていることもある。にこにこ笑って面白そうに見ていて、私が果てると入れちがいに女にのしかかったりする。しかしいちどは、後ろから私の首をしめにかかり、突きとばして、自分がかわり、しかし肉体がうまく言うことを聞かぬので、脂汗を流してうめいていたこともある。

だんだん私の神経は鍛えられて、タフになってきた。

(ああ、いま自分は、父母のそれに加わっているのだ。自分は畜生だから母親とそれをしてもいいのだ。もはや拒まれたり、拒まれることをのぞんだりする必要はないのだ)と思うと、狂女に挑んでいる時間も、しだいに長くなり、その夫をつき倒して、のりかかることもあり……

私がこの観に入った、原因の症状に関するかぎり、すっかり根治はしたのです。

あなたが私どもを見物なすったのは、この時期のことです。その三日のちに、私は洞窟から出され、入浴させられ、鬚を剃らされ、着てきた服を返されて、観から出された。観側の治療はこれで終わり、あとは私が、正常な社会人として、暮らしてゆくことを期待したのでしょう。ちょうどその日が、工場から貰った休暇の期限でもあることを、計算してくれたのかもしれなかった。

しかし私は、少しちがった計画を持っていました。いまさら狂った父母との――実際にいまは、そうとしか思えなくなっていたのだ――罪ぶかいが楽しくもある、畜生道の暮しを止めて、退屈で平板な日常のなかに戻る気には、どうしてもなれなかった。

休暇を利用して、私は、遺された全財産を整理しました。といっても土地家屋と、少々の貯金にすぎませんが、これを私は、あの観に寄附する手つづきをとりました。

そのかわりに一生、例の洞窟のなかに、狂人夫婦といっしょに飼ってもらう、という条件つきでです。その条件は、受け入れられました。

明日が私が、ふたたび、そしてこんどは永遠に、あの洞窟に戻る日です。死ぬまで畜生の楽しみに耽るために、あの狂人夫婦とともに、自分も畜生に堕ちに行く日です。人間である最後の夜に、わたしはこの手紙を書きます。

こんど台湾にいらっしゃっても、私にはおそらく、貴方の顔は判らないでしょう。ですから、もし観に来られても、裏の洞窟をのぞくことだけはくれぐれも御無用に願います。あのなつかしい幼時のころに戻り、そのころの秘かな希みを存分に満たしている明日からの私には、貴方をもふくめてすべての世間は、いっさい無用の、無関係なものにすぎぬのですから。

官能旅行

1

「あの女、コールガールだ」

と友人が低く言って、店の隅に坐っているカップルを、顎で指した。

女は十八か九、大柄で、髪が長く、子供っぽい顔つきである。

台湾の女独特のすらりとしたスタイルで、ことに高く組んだ脚が美しい。

店は台北市のレストラン、馬来亜餐庁《マレイさんちょう》である。時間は午前十一時を少しまわったころだが、客はそろそろ立て混みはじめている。

「男は、日本人だ」

と友人がいった。

九月の台湾の、したたかな陽ざしが、高い窓からそのカップルの卓上になだれ落ちている。

日本人らしい男客は四十五、六の、会社の部長級の感じで、いま内ポケットから財布を出し、女に金を渡しているのである。

いくら渡すのか、私たちは目を皿のようにして眺めた。折目のない台湾百元紙幣を八枚、九枚……十枚は数えて渡している。女はタバコをくわえたまま受けとって、悠々と数え直し、別に礼も言わずに、ハンドバッグにおさめた。またシガレットの煙を吐く。紫いろの煙はさまざまな濃淡を描きながら立ちのぼり、頭上の日光に消えてゆく。

昨夜を一緒にすごして、いま別れてきたばかりの、北投《ベイトウ》温泉の女のことを、私は考えた。新しい女との、情事のあとの空虚さと、軽い寝ぶそくが、体の芯に空洞を残している。

(昨夜の相手の方が美人だったが……しかし、あの現代的な、若い娘もいいな)

と、早くも浮気ごころが湧いて、私は考えた。

「十枚――日本の金で九千円か。高くなったな台湾の女も」

と友人が言った。

「しかし安いぜ。日本にくらべると。第一、女の質がちがう」

「それはそうだ。ここの料理にしたって、安くはないが、日本の中華料理とはぜんぜん味がちがうものな」

たしかに、この店の、料理はおいしかった。

台湾の料理店では一般的なやり方なのだが、調理場でできた料理を、中国服の少女が片端から盆にのせて各テーブルをまわる。客は好みの料理をとって、ビールを飲んだり、リンゴ・ジュースをのんだり、支那茶を楽しんだりする。会計には、食べただけのものが計算されてくる。好きなものが、好きなだけ食べられて、なかなか合理的なシステムである。卓はみな粗末な円卓で、見ず知らずの客同士が同じ卓をかこむが、日本人みたいにお互いに気にしない。遠慮なく大声をあげてさわぎながら食べ、食べかすは床に吐きちらす。はなはだ気楽で、くつろげる雰囲気である。

すでに私たちは、中国風の小さい肉入りコロッケと、豚の肋骨を砕いてニンニクでいためたものを食べていたが、いずれもビールによく合って、いい味わいだった。

ビールが台湾碑酒《ビーチュウ》という現地産のもので、コクのないのが残念だったが、よく冷えているから喉越しはけっこう快よいのである。

ウェイトレスに一人、気にかかる子がいる。ちょっと寂しげな、憂いをふくんだ眼つきで、めったに笑わない。やはり十七か八だが、他の少女が支那服の上にエプロンをつけているのに彼女はエプロンがない。主任、とでもいうような地位なのだろうか。中学時代や高校時代に、通学の途中、ひそかに思いを焦していた、ミッション・スクールに通っているお嬢さんの面影がある。

「あれはいい子だなあ。くどいても物にならないだろうか」

「うーん、あれは金じゃだめだな」と、台湾通の友人はちら、と見て言った。「正式に結婚するしかないね」

「結婚するったって、おれはもう」

「大丈夫だ。台湾では、金を出せば、何人でも正式の女房にできる。生活費は安いから、日本から送金したって、たかが知れてるよ。飛行機代が、博多からなら往復五万だから、銀座のバーで飲む思いをすれば、毎月通うのも不可能じゃないよ」

そう言われて、私はまたしても、(それも悪くないな)という気になるのである。

その女の子が、皿にシューマイを山盛りにしてきて、

(いかが)

という感じで顔を見たので、さっそく、

「うん、下さい」

といった。このくらいの日本語なら判るらしく、小さなそれを、五つ、小皿にとりわけてくれる。カラシ醬油をつけて口に入れ、嚙んでみると、小さく切った肉がムチムチと歯にあたり、嚙みしめると肉の汁がほとばしって、ちょっと類のないうまさである。

日本のシューマイは肉を小さく砕きすぎるのか、肉の種類がちがうのか、これだけの味のも

のはまだ知らない。

「うん、いい」

とうなるようにつぶやいて、私はまたビールの痺れるような冷たさを、喉に落しこんだ。

女が盆にのせてもってこない料理は、メニュウを見て、注文することになる。友人がしきりにすすめるので、ためしてみた黒鶏の脚のスープは、たしかに真っ黒な鶏の脚がスープに沈んでいたが、淡白にすぎて私は感心しなかった。

しかし、その次に出てきた、鳩を辛く煮つけた、というより、半ば燻製のようにした料理はうまかった。

「これがいいんだ。食ってみな」

といって友人が、半分に割った鳩の頭をつまんでよこしたが、たしかにその小さな頭蓋につまった脳味噌は、ねっとりとして重く、舌先にからみついて口中にひろがり、ビールの余韻を快よく消す。強いてたとえれば、極上の生ウニをチーズで練ったような味わいなのである。

さいごに出た大エビの唐辛子灼きが、また日本のものとは比較にならなかった。車エビとは少しちがうが、殻は焦げ目がつくくらいに香ばしく煎《い》られ、歯を立てると中の肉は、水気をたっぷりとふくんで甘美なのである。エビの自然の甘さと唐辛子、ニンニクの刺激が絶妙の調和を見せて……友人がエビ・アレルギーで食べられないのをいいことに、私はたちまち一皿を平げてしまった。

それで、遅い朝食の空腹が、やっと満たされた。昼間からのビールの、酔いが快よいていどに、体内をまわりはじめた。入口ちかくの席の、コールガールと日本紳士のカップルは、もういない。

ベルトをゆるめて、香りの高い支那茶を飲みながら、友人は言った。

「どうだ。台湾は美人が多いでしょう。サービスもいいし、料理はうまい。……何度も来たくなるのも、あたりまえよ」

この友人は、たしかに熱心な台湾ファンになってしまって、もう六、七回は来ているのである。

「そうだな。たしかに日本人などより美人ぞろいだ。……だけど、どうなんだろう」

ちょっと、私は奇妙なことを考えたのである。たしかに、昨夜をともに過した麗環は美人だった。さっき日本紳士から金を渡されていたコールガールも美人だった。

しかし美人は、案外、色気に欠ける要素もあるのではないか。背筋がゾクゾクとして、下腹部に妙な緊張感が走って、半分嫌悪感をそそり、それがまた、どうしようもない猥褻《わいせつ》な想像をそそり立てる、といった複雑な心理は、非のうちどころのない美人には、かえって感じられないのではないか。

それに、美人だから、夜のことの感覚が、醜女よりも強烈だ、ということは、どうやらないようである。台湾でも美人の、外人むけコールガールは、不美人の、土くさい、現地の人相手の商売女の、十倍以上の金はとるが、しかし夜のことの機能は、はたして十倍であろうか。

「それは、台湾に来て急に感じだしたのだが、美人とのセックスは案外、つまらないいんじゃないんだろうか。相手の美しさにうっとりとしているうちに、何もかも夢のように済んでしまって、醜女あいてみたいなはげしい、肉そのものの感覚は、かえって味わえないんじゃないかな。……それに相手が美人だと、どうしてもいい恰好をしてしまうし、醜女相手みたいに思いきったことは試みられなくなる」

「そうかね」

「自分を強いて、何か、ワイセツなことをしている、というムリな感じがともなってしまう。この、ムリの感じが、汚いもののなかに強いて自分を入れる、チリチリするような心理がセクシイなんで、その点、美人よりブスの方がセックスの相手にはむいているんじゃないかな」

「さあ……おれはやはり美人の方がいいな」

「お前はノーマルすぎるよ」と、私は少しいらいらして言った。

「もう少し自分のセックスの行動について分析的に考えたらどうだ」

「別に、分析しなくたって、楽しいもの」

「自分の楽しさが、もっと正確にわかるし、新しい楽しみが発見できるぞ」

「じゃあ、ま、大いに美人をやってみましょ。それとブスと。そしてくらべてみればわかることじゃないか」

「そうだな。台湾にいるあいだに、せいぜい実験してみることだな」

2

台湾ではプラットフォームのことを、月台という、美しい名前で呼ぶ。台北駅の〝月台〟から、私たちは、台湾南端の高雄まで走る、特急〝観光号〟に乗った。

ディーゼル機関車にひかれた、全車輛一等の冷房車である。車体は日本製なのか、日本の列車と、まったく同じ作りの、リクライニング・シート車である。

友人とは車輛の指定番号がちがうために、別々の箱になった。隣りはでっぷり肥った中国人で、坐るとすぐ、小さな瓶から香油らしきものを指先につけ、額と、小鼻にすりこんだ。これはいったい、何のまじないなのだろう?

窓ぎわに二つ並んでコップ受けがあり、ガラスの頑丈なコップがはめてある。販務小姐《シャオチエ》というのだろうか、少し以前のスチュワーデスみたいな服装をした少女が、ティ・バッグに入った支那茶を配ってくれる。それから、大きいアルマイトの薬罐《やかん》をさげたボーイが、慣れた手つきでコップに熱湯をそそいで歩いた。ボーイは白い上着に黒いズボンをはき、ズボンのサイドには赤い線が入っている。

ガラス・コップの熱湯に、ぼくはそのままティ・バッグをほうりこんだが、隣席の男は金の指輪をはめた太い指で袋を破き、中の支那茶を、バラバラと湯にふり入れた。コップの蓋をずらし、その隙間で茶殻を漉《こ》して飲む。湯が足りなくなると、ボーイがすぐに注ぎにくる。サービスはなかなかいい。

列車は走り出す。葉の広い竹のあいだに、灰いろの水牛が遊んでいる。田舎の建物はレンガ造りで、屋根は両端が上って中央の凹んだ、台湾独特の形をしている。中にはその屋根の上に、竜だの衣冠《いかん》いかめしい人間だのの像をのせている家もある。

隣りの男が、油餅《ユイビン》というのか、油であげた薄い餅を紙包みから出して、食べはじめた。食べながら、熱心に新聞を読んでいるが、ぜんぶ漢字の紙面にのっている連載小説は、戸川昌子のものの、中国語訳だった。

読みおわると、こんどはカバンから分厚い本を出したが、それは聖書だった。どうして彼が急に聖書を読みたくなったのか、その心理は謎である。

販務小姐が、白い丸いアルミの弁当箱を何段も重ね、針金にひっかけたものにぶらさげて、車内販売にくる。馬来亜餐庁で食事をしてから、まだ二時間ぐらいしか経っていないが、台湾の駅弁には興味がある。それに、この販務小姐が偶然にも、さっきの餐庁の少女によく似た、憂い顔のよく似合う美少女である。さっきの少女より、わずかに丸顔だが、眼もとの涼しげな張りや、楚々とした姿態や、決して笑わないことも、共通している。

弁当をさして、

「いくら？」

といった。

何かいうが、判らない。そこで、ありったけの小銭を掌に並べると、ちらと微笑して、中から十五元とっていった。日本の金では百二、三十円というところか。

その、ほんの瞬間の微笑と、私の肉厚な掌に突き刺さった鋭い爪の感触は、忘れがたかった。弁当を開くと感覚がそちらの方に奪われてしまうのは判りきっているので、急いで一首腰折れを作ることにした。

わが手より銭選《え》りゆきし車小姐《しゃしょうつえ》が白きうなじの寂しかりしか

とメモして、安心してアルミの蓋を開いた。

日本の駅弁のように、美しく、箱庭風の色彩も豊かに盛りつけてはいない。なまあたたかい飯の上に、おかずがのせてあるだけである。菜は鶏の手羽を、醤油と酒とショウガでいりつけたものである。柔かいサラミ・ソーセージを辛く煮たものと、茹で卵を濃い味で煮た料理と、やたらに辛いつけ物がのっている。

食べてみると、味はいい。日本の駅弁よりはるかに実質的である。ことにやや硬めに炊いた飯に、油と醤油と肉の味のタレが、濃からず薄からず浸みついているのがいい。タレは飯粒の表面にじんわりとからんではいるが、内部には浸透していなくて、その味の調和がいいのである。

肥りすぎを抑えるためもあり、さっき昼食をすませたばかりでもあるので、味見だけにとどめようと思ったのだが、食べはじめると止められなくて、もう一口、もう一度、と自分に弁解しながら、とうとうあらかた、食べてしまった。

一眠りして、目が覚めると窓外は暮色が濃くなっている。煉瓦塀の工場のあいだをしばらく走って、列車は高雄市のプラットフォームにすべりこむ。冷房のきいた車から外に出ると、台湾の南端だけあって、むっとする暑さである。むしあつくはあるが、半袖シャツの下の肌は、それほど汗ばみはしない。

台湾では、一流のホテルでなければ、いい女は来ない、というので、予約しておいたのは最高級の「大飯店」だった。めいめい、ツインの部屋をとっておいたのは、今夜の魂胆があるからだが、日本語の達者なフロントは、慣れているのか、妙な顔もしなかった。部屋に落ちついてすぐ、友人はその階のボーイ長を呼び、五十元のチップをやって、交渉をはじめた。

英語と日本語の混合で話はすぐ通じた。しかしボーイ主任は何度も、拳を首にあて、指を立てて唇にあてて、他人に知れては首になるから黙っていてくれ、と頼む。むろん了承して、友人が、

「ビューティフル・ガール?」

と聞くと、何度もうなずいて、

「イエス、ナイスガール」

といった。

紙幣を出して、女の値段を聞くと、やはり現地通貨で千元、日本円で九千円が相場らしい。いつかインドに行ったときは、ホテルのフロントも、ボーイも、その他の接客業者も、まことに非能率で、何となく客を馬鹿にした感じがあって、いらいらさせられたものだが、その点中国人はまことに丁重で感じが良く、組織的な能力をもっているようである。同文同種の民族だけあって、感情も、やはりインド人よりは、よく通ずる。

非番の、仲間の一人が女と引き合わせるから、ホテルの外の餐庁《レストラン》で待っていてくれ、ということになった。

スポーツシャツに、紺のポーラの背広をひっかけて、指定の餐庁へ行ってみる。入ったけれども、ちょうど食事どきで、テーブルが空いていない。止むを得ず外に出ると、流行おくれの

アロハシャツを着た、五分刈りのお兄さんが、私たちを待っていた。

わかりにくい英語と日本語でしゃべるのを聞くと、どうやら自分は、ホテルの七階のボーイだ、といっているらしい。女は八時半に二人いるから、それまで街を案内する、どこに行きたいか、というのである。

私は、ひとつ台湾名物の露店を見たい、と思っていたので、いろいろ単語を並べて説明するが、判らない。「小さな、道ばたの店」とか「屋根のないたくさん並んだ店」などと喋るが、やはり通じない。苦しまぎれに、

「ロテンだっ。ロテン、ヨミセ」

と友人が叫んだら、

「ああ、夜店」

と、すぐに判った。

高雄の夜は賑やかである。小型の日本製タクシーがやたらと走っており、横断歩道は少なく、おまけに右側通行の車優先なので、危くてしかたがない。しかるに案内のボーイは、アロハの裾をひらひらさせながら、やたらに道を、斜め横断するのである。

「あぶないな、このポンちゃん」

と友人が腹を立てて言った。

そのうちに、終戦直後のマーケットみたいな、明るい仮小屋に行き当った。細い道の両側にたくさん食べもの店が並んでいることは、台北の万華巷《ばんかこう》などと同じである。大きい伊勢海老、ゆであげた豚の内臓、飴いろの鳥、山盛りの果物、麺類、ギョウザなどの店が並んでいることも同じである。万華巷には私たちは、北投温泉の女を連れていったのだが、今日は女はいない。

「ラッシャイッ」

と、景気のいい、底力のある声がかかる。どこでも私たちは、一眼で日本人と判ってしまうのである。声をかけたのはねじり鉢巻に腹巻、ダボシャツに半ズボン、赤ら顔に小鼻の大きくひろがった、五十五、六の太鼓腹、胡麻塩の親爺だった。

つい、その声につられて、粗末なアルミのテーブルに坐ってしまった。と、

「何にしますか、上官殿。魚は新しいですよ。車エビに、ホタテ貝に、ユデモノもいいですよ」

と、日本以上に流暢な日本語である。

「おじさん、日本語達者だねえ」

とおどろくと、

「これでも、海軍兵曹だからね。神戸にも横浜にも戦友がいて、来い来いといってくれるんで

すが、暇がなくてねえ」

とまくし立てる。

「じゃ、ホタルイカの塩茹でを貰おう。ホタテ貝と車エビは焼いて。子宮のユデモノも貰うかな。……それと、ギョーザをとれないかしら」

「ぼくは、何か汁もの……麺類がいい、それと鳩の燻製」

「はいっ、お酒は」

「ビール」

「キリンビールにしますか」

「へえ、日本のビールがあるの」

「ええ、割り当てが少ないですけどね」

勢いよくビールの栓が抜かれたので、

「オヤジさん、まず一杯」

とさし出すと、大きい手を振って、

「いやね、あっし、女と酒には弱いんだ」

というのである。

日本語で私たちが喋りあっているあいだ、ポン引き君は所在なげに、肩を落して坐っていた。

親爺に通訳させて、

「何か食べないか」

といっても、

「じゃ、氷を」

というだけで、まったく元気がないのである。

何かが、私のなかで目をさましかけていた。忘れてしまいたい、それは遠い記憶だった。このポン引き青年の様子に、だんだんとその記憶は、引き出されかけていた。

塩焼きの車エビにかぶりついて、数日ぶりの日本のビールを喉に落したとき、アルミのテーブルの下で、何かがうごめく気配がした。見ると、十二、三の薄汚れた、裸足の少年がもぐりこんでいるのである。

哀願するような、そのくせ強要するような、動物的な目でじっと見上げ、私の靴をおさえて何ごとか喋る。

「靴を磨かせてくれ、というんだよ」

と友人が言った。

反射的に、私は足をさしだした。少年は私の靴の下に台をさしこみ、地面にうずくまって、甲斐甲斐しく磨きはじめた。

その汚れた、細いうなじや、破れたシャツの下の、痩せた肩甲骨を見ているうちに、抑えていた記憶が、とつぜん私のうちで鮮明になった。

3

間違いなかった。これは二十数年前の、とりもなおさず、私の姿だった。

あれは終戦直後の満洲だった。広い街路は、凍りついて汚れた雪でおおわれ、滑りやすいその道を、馬車が鈴の音を立てて走っていた。乗っているのは大てい、ロシヤ軍の将校と、日本女や中国女の、その情婦だった。

道の隅に、私たちは坐っていた。私と、同級生の山本タケシだった。私たちは自分の、勉強用の椅子を前におき、それに対して、低い箱の上に坐っていた。

耳かくしに灰青色のオーバーの、コサック騎兵、丸坊主の少年囚人兵、短い自動小銃を小粋に肩に吊した正規兵の兵士などは、私たちの客ではなかった。裾の割れたオーバーを、地をひきずるようにはためかせ、皮長靴を蹴り出すようにして歩いてくる、将校たちが上客だった。すでに母や妹たちは、彼らに、金紗《きんしゃ》やちりめんの着物を四角く切り、四隅をかがったネッカチーフを、抜け目なく売りつけていた。次は、私たちの番だった。ところどころ汚れたその長靴を指しては、私たちはいっせいに、只一つ知っていたロシヤ語で、〝靴、磨く〟と声をはりあげるのだった。

その瞬間、仲の良い友達だった私と山本は、たちまち競争者になった。唇にタバコをくわえたまま、将校はちょっと首をかしげて迷う。ここを先途《せんど》と、私たちは自分の磨き台を叩く。手をのばして、長外套《シューバ》の裾を引く。青い目に気弱な表情をうかべて、異国の客は、どちらかの磨き台に足をのせるのだった。

勝負がつけば、私と山本はまた、半年前、国民学校の教室で席を並べていたときのままの、仲の良い友達だった。

あれはいったい、いくらの金になったのだろうか。大人の男が街を歩けば、たちまち〝使役〟にあって、下手をするとそのままトラックでシベリアに連れてゆかれたから、外に出るわけにはゆかなかった。一家の現金収入は、赤や青の粗末なロシヤ軍々票を手に入れる方法は、小さな妹と髪を短く切った母が、ネッカチーフを売りつけてくる金と、私の靴磨きの代償だけだった。

多少、気取り屋の少年だった私は、初めは恥かしかった。しかし、すぐに慣れると、あとはかえって面白かった。凍りつく風の冷たさや、長くて大きくて、磨いても磨いても光らない長靴がうらめしかったことも、帰りに朝鮮人たちにとりかこまれて、一日の収入をぜんぶ取りあげられたことも……辛くはあったが、それ以上のことではなかった。というのはつまり、辛いその瞬間が、せいぜい一日、二日のことで済み、いつまでも女々しく、その思い出にひたり、怨み悲しんでいる余裕などはなかった、ということだ。そんな暇があったら、少しでも余分に稼がねばならなかった。飢えはいつも、つい目前にまで近づいていた。

……日本に引き揚げたのは、その年の、夏のことだ。一人千円ずつ持ち帰りを許された現金も、たちまち乏しくなって、またしても私は働かねばならなかった。同じ年頃の、近所の少年たちが、毎朝小学校に通っているのを横目で見ながら、私は私鉄で数駅はなれた駐留米軍のキャンプに、ボーイとして勤めはじめたのだった。

施行されたばかりの法律では、十五歳未満の少年の、就労は禁じられていた。しかし体の大きい私は、十五歳といっても、何とか通用した。日本人の年齢など、米軍の、やたらに大男の人事係准尉には、判りっこなかった。

陽気のようで陰気な面もあり、いつも真面目くさっているくせに、とつぜん大声でわめいてふざけだす、異国の兵士の心情を、私は計りかねた。彼らは私を、

「ボーイさん」

とか、

「ヘイボーイ」

と呼び、いとも気易くあつかっていたが、ときどきまじめな顔をして、声をひそめてこんな

ことを聞くのだった。

「ボーイさん、オジョーサンイルカ?」

小銃の帯皮を肩にかけ、帽子を極端に前に傾けてかむり、大きい尻をそびやかしてガード前を往復している黒人兵士もしばしば指を曲げて私を呼んでは、同じことを聞いた。

あるとき、闇市で知りあった年上の戦災孤児に、私はその話をした。

「バッカだなあおめえ。いい儲けになるんだぞ。これから、そんな兵隊いたら、どんどん連れてこい。女ならいくらでも、おれが紹介してやるからよ」

次に、私に同じことを聞いた兵士に、私は得意げにうなずいて、

「イエス」

といったのだ。

「ナイスガール?」

「イエス、ヴェリナイスガール」

と、自信をもって、私は言った……。

外出日に例の戦災孤児を紹介した。次に会ったとき、兵士は口笛を吹いて、私にチップを握らせた。たちまち私が、戦災孤児と組んで、すれっからしのポン引きになるのに、時間はかからなかった……。

そうした記憶が、ホテルでボーイに、

「ナイスガール」

といわれたときに、意識の底から浮かびはじめたのだった。日本語で話され、通訳の役目を果せずに悲しそうにしている若いポン引きを、さらに果敢にテーブルの下にしゃがみこんで、靴をみがきはじめた少年をみたとたんに、私のうちに、久しぶりに回復したのだった。

しかし私は、感傷的になりそうな自分を、叱りつけて現実に引きもどすだけの自尊心をまだ持ち合わせていた。感傷におぼれ、過大な同情をしたり、反省したり、憤りを感じたりしてみせる偽善だけは、許しがたかった。その自己憐憫《れんびん》は安っぽい。見せかけの正義感はいっそう我慢がならない。

この少年が異国人の靴磨きをしているのは、一つの事実だ。私が少年時代に、ロシヤ将校の靴を磨いたのは、全く別の一つの事実だ。私がポン引きを通じて異国の女を買うことと、少年ポン引きであった私が、米軍兵士に日本人の女を紹介したことは、まったく関係のない、別のことだ。

もし昔、私に靴を磨かせた将校や、女を紹介させた兵士に、同じ経験の持主がいて、私に奇妙な同情を寄せたりしたら、少年の私はまず反撥したにちがいなかった。つぎに軽蔑して、次に、いかに同情を多くひいて、利用してやろうか、と考えたにちがいなかった。

少年とはそういうものだ。彼らは意外に逞しいものだ。いわば彼らは――かつての私も目前の台湾少年も――健康な野生の獣なのだ。得られるいくばくかの金、いく片かのパンの方が、大人の感情よりはるかに重大なのだ。たとえ、翌朝は雪のなかで、あっけなく凍死していても、その前夜までは頬を赤くして元気に駆けまわっているのが、少年の誇りなのだ。靴磨きも一つの職業であり、ポン引きも同じである。いずれも、少年にふさわしい職業である。彼らをあわれむのは、かえってその職業を、ひいては彼ら自体を、軽蔑することになるにちがいない。

少年は、私の靴を隅から隅まで磨きあげ、頬笑《ほほえ》んで立ちあがった。その目は輝き、かがみこんでの労働に、頬は紅潮していた。規定の五元を、私は渡した。それ以上はやらなかった。今夜私は、女のために、その二、三百倍の金を費《つか》いすてるではあろうけれども。

待ち合わせの時間が来て、ポン引き青年は立ちあがった。肥った親爺は、

「有難うございました」

と叫んで、旧軍隊式に挙手の礼をする。

タクシーにのるまでもなく、ぶらぶらと歩いて、地下の喫茶店に降りてゆく。鍾乳洞を模しているのか、やたらに白い凹凸のあるインテリアである。

ポン引き仲間がもう一人いて、待っていた。私たちに挨拶して、忙しげに打ちあわせて、出

ていった。

冷やしたパイナップルをとって、食べていると、すぐに女を二人つれて、引き返してきた。案外、同じ店の、別のシートに坐っていたのかもしれない。

4

私の傍に坐ったのは、ちら、と見ただけで好みのタイプだ、と判った。顔が小さく、体が大きい。胸もゆたかだが、どちらかといえば筋肉質である。顔は一応ととのっているが、顎が張って眉が濃く、個性の強そうな感じが好ましい。

「今晩は」

というと、向うも何かいって、微笑した。これで気持が通じた、と思って、くつろいだ気分になった。

しかし、向いの友人は面白くなさそうな顔で、

「おい、女変えられんだろうか」

といっている。見ると、友人の相手の女は丸ぽちゃで小柄で、特に不美人ではないものの、取柄のない顔立ちである。

「イヤだよ、おれ、この女がいいもの」

といってやると、

「いや、お前のと交換しようなんて、そんなことはいわんよ。他の女とさ」

私は隣りの女に夢中になってウインクをしあっていたので、「そうだなあ」とあいまいに返事をしていたが、友人がつまらなさそうな顔で、熱帯魚の水槽を撫でているのを見ると、さすがに気の毒になった。

「じゃ、いまのうちにポンちゃんをトイレにつれていって、わけを話したら」

というと、友人もたちまち決心して、立ちあがった。

向うの、トイレの壁で、友人はしきりに身ぶりで、説明している。友人から嫌われた女はおとなしく、ハンドバッグを膝において待っている。日本語が通じないので何と言われているか判らないのだが、私はさすがに気の毒になった。といって、なまじ愛嬌をふりまいても、あとで工合が悪い。

やがてポン引きが、深刻な顔をして、戻ってきた。もう一人のポン引き仲間をつれていって、友人と三人で喋っている。

私も、戦災孤児と組んで米兵に女を紹介していたとき、まったく同じケースがあったことを思い出した。戦災孤児の知りあいに、他に女はいず、とうとう彼が、自分の女を提供する羽目になったのだった。今夜はいったい、どんな結果になるのだろうか。

ポン引きの一人がもどってきて、女に、手みじかに何かしゃべった。ほとんど冷酷ともとれる、口調だった。瞬間、女は耳を疑った風だったが、バッグをつかむや弾かれたように立ちあがった。一刻もそこにいたくない。というような、素早い立ちさりかただった。

しばらくして、別の女が来た。これは美人だった。私の相手より色白で、骨細で、上品な、典型的な美人だった。

二人とも、日本につれてくれば、すぐテレビの女優ぐらいはつとまる顔とスタイルである。しかし私の相手が活潑な下町娘の役をすれば、友人の相手は大家の令嬢役がぴったりである。多少、私は友人が羨ましくなった。友人も、うってかわって、上機嫌である。

タクシーにいっぱいに詰まって、ホテルに戻った。部屋に入ろうとすると、その階のボーイ詰所にいた例の主任が、ニヤリと笑って、キイを持ってきた。女とは顔見知りなのかどうか知らないが、お互いにそっぽをむいている。

部屋に入って、すぐ名前を聞いた。メモ用紙に、

「曼那《マンナ》」

と書いてくれた。面白い名前だが、通称だろう。

そのままマンナは、ベッドに雄大な体を腹這いにさせて、電話をかけはじめた。私はバス・ルームに入り、シャワーをあび、浴衣に着がえて出てきたのだが、マンナはまだ、長々と電話

をしている。

「パパァ」

とか、何とか、家族らしいものの名前を呼んで、次々と電話口に呼び出しているところをみると、どうやら自宅に電話しているのか。話しながら、片手で、銀いろの靴をぬいで、床にほうりなげる。受話器をもったまま膝を立てる。ぐるりと寝返りを打つ。そのたびに、恰好のよい尻がうごめく。

台湾語にはときどき、日本語も混る。「運チャン」といったり、「ソウダヨ」といったり、「パカヤロ」とふざけて叫んだりする。一応は美人の、彼女の口から、そんな言葉が出ると、そばで聞いているものは、ぎょっとする。待ちくたびれて、私はかなり苛々したが、それを顔に見せては貫禄にかかわるから、手帳を出して、また三十一文字を作ることにした。

愛らしくめでたき君のパカヤロと戯《たは》れたまふを聞くが悲しさ
やよ曼那《マンナ》新床入《にひとこい》りを前にして汝《なれ》が電話のなぜに長きぞ
歌で腹いせをしているうちに、マンナは、

「アハハハ」

と笑って、電話を切った。それから立ちあがると、やおら銀ラメ入りのグレイのミニ・ドレスを脱ぎ、ストッキングを外し、ピンク色のブラ・カップと黄色いパンティだけになって、ベッドに仰向けになったのである。

なんとなく事務的な感じである。繁りはやや濃い方だが、腰の幅が野蛮なほどに広く、胴がよくくびれている。その部分は両側がふっくらと盛りあがり、見た感じもほのぼのとして、美しい。ブルーフィルム撮影者のあいだでは、この部分を「デザイン」というらしいが、機能はともかく、デザインは極上である。

体の色は浅黒いが、この部分の着色はさほどではない。両側がふっくらしているために、中央部も、一本のたての線としか見えず、見苦しくないのである。引かれるように私は鼻を近づけたが、まことに健康な、清潔で正常なその部分の匂いがあって、私は好感を持った。これなら、予防するには及ぶまい。

体を重ねても、別に声を出すでもなく、面倒そうな顔をしている。ゆっくりと私は楽しみはじめたが、機能は、入口の方でかなり絞られる感じがある。一方、奥の部分は、それほど窮屈というわけではない。

私の方は、初めのうちはそれほど理想的な状態ではないのに、むりに始めた感じだったが、ちゃんと保持感があって、逸脱することはない。これがおそらく、プロであるゆえんだろう。

時間をかけて私は遊んでいたが、どうも女は、早く私を終らせたがっているふしが見える。私の尻を両手で抑え、早く体を動かして、果てさせようとするのである。今夜一晩の約束だが、まあ事情があるのだろう、と思って、自分もその方向に協力した。

やがて終って、女はバス・ルームに入る。入れかわりに私も入って、体を洗って出てくると、女はもういない。しかしベッドの上にハンドバッグがおいてあるから、帰ったのではないらしい。

と、友人から電話があった。

「あのなあ、女がなあ、歌聞きに行こうっていうんだけど。九時半からだそうだ」

時計は九時過ぎである。女が急いだわけは判ったが、それなら長電話などしなければいいものを。

「よし、行こう」

と私は言った。

やがて女が戻ってくる。私も身仕度をととのえて、四人ででかけた。日本でいえば映画館みたいな建物で、友人の相手が友人から、二百元あずかって切符を買った。釣銭は返さない。私の相手の女は、まつわりつく子供に、十元やって、西瓜の種子を買った。

中は、日本の映画館の倍ぐらいの広さである。満員の盛況である。ここでも観衆は、茶を飲んだり物を食べたりして、舞台を見ている。

中国語の歌がある。手品がある。ダンスがある。コミカルな芝居がある。みな芸達者で、なかなか面白い。芝居は、セリフがまったく判らないにもかかわらず、ふしぎに笑える。

ミニ・スカートの日本人女歌手が歌を歌ったが、これが英語の歌で、さっぱり面白くなく、声援してやりたいものの、どうにも拙劣だった。もっとも同じ日本人だと思うから点が厳しくなるのかもしれないし、そもそも私は、英語の歌を好まないからかもしれない。しかしこの国の人たちは、私たちの連れの女をもふくめて、盛大に手を叩いていたから、やはり日本の女は人気があるのだろう。

ホテルに帰って、ベッドに入ると、向うから私のそばにもぐりこんできた。肌ざわりが乾いていて、ひんやりして、快よい。二度めにうつったが、時間が経っていないせいか、さっきより、硬さが十分でない。それでも、結構把握感はあったから、名器というべきであろう。

女は熱心に、手を使ってくれたりしたが、私は多少つかれていたので、

「明天《みんてん》」

といって、辞退した。

女はうなずいて、ベッドラジオをつけて、すぐに眠りこんだ。なまあたたかくなったその体から、私はそっと身をはなして、自分のベッドに戻った。今は、ただ、一人で、楽々と眠りたかった。

5

翌日は、車で台南まで走った。友人が商工業会議所の会員なので、この地の会議所に招待されて、セドリックをまわして貰ったのである。

台南のホテルは、高雄のよりやや小さいが、いかにも南国的なおもむきがあって、悪くない。その夜は、会議所のメンバーに友人が招待されたのに便乗して、料理店に行った。

円卓をかこんで坐ると、女たちが出てきて間に入る。それがみんな美人か、肉感的かで、好ましい女たちである。サービスもよく、私の隣りに坐った白いスーツの女は、美しい前歯でたくみに西瓜の種子を割っては、私の口におしこんでくる。噛みしめると脂が乗っていて、なかなか乙なものである。もう十分に食べた、というと、首根っ子をつかんでマッサージしてくれる。美人のマッサージをうけながら御馳走を食べ、酒を飲むのは楽しいものである。

店はあまりきれいではなかったが、料理は台北や高雄の、一流の所より美味いくらいだった。たとえば大根の上にのせたカラスミも、日本のものより柔かく、水々しく、味が濃いのである。大エビを白いクリームにつけて煮た料理も、たっぷりした味わいで、面白い。鰻はニンニクと独特のタレをつけてふっくらと焼いてあるが、濃厚でありながらさっぱりし、しかもふんわりして、いくらでも食べられる。日本の蒲焼きよりもおいしい。鰻の輪切りのスープも、鰻でこんなにあっさりした味が出せるのか、と疑うほどである。

また、主人側の人たちの、心づかいも行きとどいていた。さすがに大国民だと思わせる大らかさと、熱心なサービス心がある。それも日本人みたいに、やたらに自己犠牲的になって、悲愴になるのではない。悠々と、自分も楽しんで、客人にも楽しませるのである。

流しを呼びこんで、日本の歌を次々と歌う。郭《かく》さんという巨漢が、幅のあるすばらしいバリトンで、軍歌集から童謡集から、総ざらいをする。

そのあいまに八方から、

「乾盃《カンペ》」

の集中である。相手の目をじっとみつめ、のみほして、グラスの底を見せねばならない。楽しいが、大変である。

林《りん》さん、という会社経営者が、

「こんな田舎で、ろくなおもてなしもできないけれど、いい印象を持って帰ってもらおうと思う。一所懸命やってますから、御迷惑かもしれませんけど、よろしく」

と言う。日本ではわれわれが、もうほとんど忘れてしまった、情味のあるもてなしである。

そのうちに主人側の一人が、こう言った。

「いま、美人が来ます。台南一の美人で、英語もできます。もし気に入ったら、私たちが交渉して、何とでもしますから、そう言って下さい」

やがて女が入ってくる。たしかに美人である。そして上品である。にっこりと笑って、私と、友人のあいだに坐った。

しかし、どうも私の心は踊ってない。日本の水商売の美人にもよくある、人形みたいな顔立ちである。客の方からサービスされ、ちやほやされることになれ切って、精神的に怠け者になった女の顔である。

何となく私はつまらなくなって、黙りこんでしまった。友人も別に、積極的に気は動いていない風である。女は別に何をするでもなく、黙って西瓜の種子を噛んでいる。さっきまで隣りにいた白スーツの女みたいに、種子を割ったり、首を揉んだりの、サービスをすることもない。

まもなく私たちは、乾盃の応酬のなかで、その女の存在を忘れてしまった。というよりはすさまじい酔いに、正気を保っているのがやっと、という状態になってしまったのだ。主人側の人たちは、響きのいい声で拳を打っては、乾盃を交わしあっている。タバコを二本ずつ抜いて、すすめて歩く。主人側も相当に乱れ、ロレツがまわらない。酒豪の郭さんも、片っ端からコップをあけたあげく、危っかしい足どりで踊りはじめた。しかしみな上機嫌で、日本人みたいに酒癖の悪いのはいない。

そこを出て、タクシーで舞庁にのりつけた。日本のダンスホールとちがって、ここでも女たちが、傍に坐る。その一人の、地味な服装をした、素人としか見えぬ野暮ったい女が、ふしぎに印象に残った。

目がキラキラし、鼻が高い。胴が短かく、脚は長いが、かなり太い。決して美人ではないが、妙に肉感的である。何よりも、ダンスホールに遊びに来たBGという感じで、水商売臭くないのが、私の好みに合ったのである。

酔っているふりをして、私はその女の、傍に坐った。ダンスに誘った。ブルースで踊りはじめると、肥り気味の下肢が、こちらの下肢に当る。

ふしぎな現象が起った。台湾に来てから毎日のように美人を相手にしているときは、それほど強烈ではなかった状態を、私はいま、はっきりと感じていたのである。泥酔しているにもかかわらず、私の肉体は反応し、彼女の股に押しつけられた。言葉が通じないから、目と目を見交すことしかできないが、それがかえって、甘美な感情をそそるのである。

タンゴやマンボは、酔っているせいか、あまりリズムが合わなかった。ジルバは快よく、彼女は小肥りの体に以合わず軽快に舞い、私たちはやがて汗をびっしょり、かいた。次にブルースになったとき、彼女は指で私のワイシャツの背をつまんで、汗ではりついた背に、風を入れようとしてくれる。もう十数年も前、ダンスに凝っていたころ、やはり優しい女たちが、しばしばそうしてくれたことを、私は思い出した。

すっかり好感がもてたので、私はチップとして百元紙幣を、彼女の掌に握らせた。

それから一行は二台のタクシーにわかれて、料理を食べさせるスナックに行ったが、私たちの車が店について待っていると、どういうわけか彼女も、もう一台の車の連中といっしょに、上ってきたのである。チップを握らせたことは、何かの意志表示になり、彼女も承諾する気になったのかもしれない。

私を見て、友人はしきりに、軽蔑的に笑う。つかまえた相手が美人でない、というのである。

「妙なのがついてきたな。え、今夜はどうするんだい」

「いや、何だかしらんが、こうなったんだ」

「まあ、今夜は、成り行にまかせるんですなあ」

「色男はツライよ」

そう私も、調子を合わせて言ったのは、やはり彼女が美人でないことが虚栄心にひっかかっていたからにすぎず、内心ではむろん、迷惑なわけではなかった。

そのうちに郭さんが、女と何か話していたが、

「彼女、言葉が通じないから、優しくしてほしい、といっています」

という。

「もちろんですとも」

とはいったが、やはり他人の目のあるところでは、多少彼女に冷淡になる自分を、感じないわけにはゆかなかった。

車にのるときに、彼女は多少ためらったが、郭さんがかかえあげるようにして、私の膝にのせてしまった。五人のりのタクシーに七人がのりこんで、ホテルについたのである。私といっしょにホテルに残るときも、ちょっと女はためらったが、郭さんが叱りつけるようにして背を押したので、覚悟を決めたらしかった。ひとつには私が、郭さんたちの手前もあり、積極的に彼女をさそわなかったので、気おくれがしていたのだろう。

ところが、部屋へ入り、鍵をかけ、例のキラキラ光る目と目を見合わせたとたんに、またダンスホールで体を合わせて踊っていたときの、煽情的なたかぶりがよみがえってしまった。肉体はすでに、はげしく彼女を求め、私は人形のような美人よりも、やはりどこか人間くさい不美人の方が好みに合っていることを発見して、おどろいたのである。

服を脱がせるのに、彼女は抵抗しなかった。ブラ・カップは白で、パンティはピンクだったが、スキャンティではなく、たっぷりと尻を包む、野暮なものだった。

案外に肥って色が白く、体温が高く、臍のくぼみは深かった。こうした肥り気味の女が、ガーターやコルセットで体をしめつけているのと、ぴったり体をくっつけ合って踊るのがセクシーな感じなので、私は若いころ、肥った女好みだったのである。

繁みはごく下の方から少し生えているので、上からは腹に邪魔されて、よく見えなかった。私も手早く脱衣して、バス・ルームに誘いこんだ。

中で、便器を見て、もじもじしている。体を抱いて腰かけさせ、

「イー、アル、サン」

と掛け声をかけてやったが、うまく行かないらしい。そこでバス・タブのコックをひねると、その音にまぎれて、うまく済ませたようである。

バス・タブに立ったまま抱きあって、手を私の体にみちびくと、恥かしがって顔を私の胸に埋める。しかし手を離しはしない。大きめの乳首を口にふくむと、その尻のあたりがピクピクと動いたのは、やはり感覚があったのだろう。石鹸を渡して私の体を洗わせると、恥かしげに顔をそむけながら、しかし一所懸命に、痛いほど洗ってくれるのだった。酔いにもかかわらず、私の反応は、いよいよ激しかった。

我慢ができなくなって、バス・タブの底にそのまま仰向けにし、私の腰の上にのせたが、あまりうまくゆかない。そこで、女の体を、上向きにしたシャワーで洗ってやると、そのましゃがみこんでしまった。

ちょうど私の腰は、顔の所にある。頭を抑えると、はじめは歯をとじたが、押しつけると素直に口を開くのだった。

いっしょにバスタオルで体を拭いて、ベッドに転がると、女は小さな声で、

「好先生《ハオシーシェン》」

といった。

この女も、両側はふっくらとしている。昨夜の曼那以上である。しばらく上になったり下になったりしていたが、彼女の吸う力は極めて強く、しかも歯が当らない。

反応は烈しかった。緊縛力はさほどでもなく、ごく普通であると思われたが、積み重ねられた心理的な刺激が強いのだった。それで結局は私は、昨夜の美人以上の感覚を、しかも長時間にわたって得ることができた。

終ってから、女はバスに入った。ちょっと間をおいて、私もあとに入り、コップでうがいをした。女も安心したように、同じコップでうがいをして、微笑するのだった。

部屋に戻ってから、私はちょうど六枚残っていた百元紙幣を、女のバッグに押しこんだ。女は何か言ったが、よく聞きとれぬので聞き返すと、こんどは、

「トッテモウレシイ」

と日本語で言った、その声が極めて優しく、可憐であることに、はじめて気付いた。

しばらく目を見合い、ときどき唇を合わせた。しみじみとした感情は流れたが、言葉が通じないので、どうしようもないのだった。

遅くなりすぎると、タクシーが拾えぬかもしれぬ、と思ったので、フロントまで送ってゆくことにした。フロントの灯は消し、ボーイがソファで仮眠していた。

ドアをあけさせると、外にはまだタクシーが待っていた。女は私をふりかえり、小さな声で、「再見《ツァイチェン》」

といって、小走りに車の方へ走った。すぐに背をむけて、私はドアボーイにチップをやって中に入り、ガラス戸ごしに外をみたが、もう女の姿は見えなかった。それが私のなかに、小さな悔恨となって残った。

おそらく二度と会うことのない、行きずりの女に、これほど心が残るのはふしぎだった。彼女はこれから、どういう一生を送るだろう、と考えながら、私は眠れぬままに、ベッドで転々としていた。

名も知れず所も知れぬ君なるに再見《ツァイチェン》といふことぞはかなき
灯消したるロビィに君が別れ告ぐる声のかそけき哀れなるかも
さらばさらばあはれみぢかき恋終へて君台南の闇に消えゆく

神々しき娼婦

1

サンフランシスコ空港を出ると、タクシーが並んで待っていた。当然のことだが、みな外車だ。やはりいちばん先頭の車に乗るべきだろう。

そう考えて、ちょっとためらったのは、先頭のタクシーによりかかって立っている運転手が、若い女だったからである。

背は、一メートル八十を越すだろう。Gパンの逞しい腰に両手をあて、脚を踏んばって立っている。顔立ちは美しいが、化粧っ気はぜんぜんない。それに、こんなに大きいと、女という気がしない。赤い髪はバサバサで、セーターの胸が豊かに突き出しているから、ようやく女だと判るのである。

村越一郎はいままで、外人とほとんどつきあう機会がなかったのである。それでも外人の男となならば、日本でも二言三言話しあったり、道を聞かれたりするぐらいの関係はあって、予備知識をもっていた。しかし、外人女となると、どんなつきあいかたをしたらいいものか、まったく見当がつきかねた。

もっとも、映画で見るハリウッド女優のように、なまめかしい美女に、多少の夢はもっていた。のみならず、これから三週間のアメリカ滞在中、夜の姫君でも何でもかまわないから、白人女性の一人とねんごろになれたら、という、怪《け》しからぬ希《のぞ》みもないことはなかった。

しかし、いま目の前のタクシー乗場に立ちはだかっているような、逞しく巨大な女と、それも飛行機を降り立つや否や、話をしなければならないとは、思いもしなかったのである。

助けを求めるように、村越一郎はまわりをみまわした。しかし見わたすかぎりコンクリートが敷きつめられた乗車場には、烈しい陽光が照りかえしているだけである。そのうちに、女が姿勢をかえて彼をみとめた。鷲のような視線を、彼に注いだ。

みつかったからには仕方がない。他のタクシーに変えたりしたら、どんなひどい目に会うか判らない。アメリカの女性はヒステリーを起すと、すさまじい兇暴性を発揮すると聞いている。少なくとも、彼の年代の日本男性は、そう信じている。

日本人の使用人をピストルで射殺し、ストーヴで焼き殺した白人女性の話を、彼は小学生だった戦争中に、戦意昂揚読物で読ませられたものだった。別れた彼の妻はかなりの悪妻で、炊

事も洗濯もしなかったが、それでも恩着せがましく、

「アメリカの女性は、こんなものじゃないわよ」

と、口ぐせのように言うのだった。

しぶしぶと彼は、重いスーツケースをさげて、低く長い車体のそばに歩みよった。愛想笑いをしようと努力した。その寸前、女は彼のトランクをひったくった。

あわてて奪いかえそうとしたのは、アメリカ人は女性に荷物を持たせない、と常日頃、別れた妻から教えられていたせいである。しかし、女運転手は驚くべき腕力だった。村越の手を払いのけ、彼がもてあましていた重いスーツケースを、片手でかるがると持ちあげたのである。

上から見下しながら、

「フロム・ジャパン？（日本からか？）」

と聞いた。

「イエス……イエス」

あとにマダムとつけるべきかな、まさかイエス・サーではおかしいし、と考えているうちに、女運転手は車のうしろにまわり、トランクをあけ、スーツケースをほうりこんだ。客席のドアをあけ、乗るようにすすめる。テレビで見て知っていた常識では、アメリカでは男がかならず女に、ドアをあけてやるべきものだったから、村越はあわてふためき、

「サンキュー、サンキュー・ヴェリ・マッチ」

と口ごもりながら、のりこんだ。

女は反対側から運転席にまわり、アクセルを踏みこむ。落ちつき払った、悠々たる運転ぶりである。バックミラーに映る目は青い。セーターをまくりあげた腕には、金いろの毛が生えている。村越なんかより、よっぽど毛深そうである。

ハイウェイの両側は、しゃれた別荘風の住宅や、木造ペンキ塗りのバンガロー風の建物が、まばらに並んでいる。右側は岩の多い海で、貨物船が沖合いに浮んでいる。

車は、外車ではあるがタクシー用につくられているのか、内装は粗末なヴィニールレザー張りである。そのシートの上で、Gパンの股を思いきり開いて、女は運転している。

ふっと、村越は怖れを感じた。この、ちょっと女鬼みたいな娘が、自分をどこかにつれていって、強姦するのではないか、と思ったのである。しかし、よく見ると、女は左手薬指に、結婚指輪をはめている。こんな女鬼と夫婦になっている男は、いったいどんなすさまじい怪物なんだろう。

おそるおそる、村越は聞いてみた。

(サンフランシスコに、女の運転手は多いのか)

(もちろん、非常に多い)

と、女はいちいちうしろをふりかえり、青い眼で彼をみつめて答える。その眼のいろは、よく見ると、あどけない感じもする。ようやく村越は最初の、とって喰われそうな不安から、自分をとりもどした。

女は意外に親切らしくて、窓の外を指さしては、いちいち風景を説明してくれる。しかし巻き舌の、早口なので、さっぱり判らないのである。一度ぐらいは聞き返す勇気があるけれども、あまり判らなくては悪いと思うので、二度めからは、

「オー・アイシイ（わかりました）」

とか、

「シュア（なるほど）」

とか答えているのだが、ほんとうはほとんど判らないのである。

（いつ、何も判っていないのがばれるだろうか）

と思うと、村越ははなはだ落ちつかず、一刻も早くホテルに着いてくれることを祈るばかりだった。それに、相づちの打ちかたも、この二つ三つしか知らないので、それを適当に混ぜて返事しているのだが、たまには別の返事をすべきではないか、とも思うのである。もっともらしくうなずきながら、だんだん村越は、冷汗をかきはじめた。

古めかしいサンフランシスコの街なかに入って、やがてタクシーはホテルについた。ホテル

といっても日本のそれのように、前に豪壮な庭園や車寄せをめぐらせたものではなく、道路ぎわに面して立っている、ごくありふれたビルである。いそいで財布を出して、チップの計算をしているうちに、女はさっさと降り立った。トランクをあけて、スーツケースを出している。ドアのノブがわからなくてあちこちいじっていると、女が外からあけてくれた。

（女上位のアメリカで、荷物を運ばせて、おまけにドアをあけさせるなんて……。日本の男はずいぶん野蛮だ、と思われるのではないだろうか？）

と恐縮しながら、十二ドルの料金に二ドルのチップを添えて渡すと、女はぱっと笑って、

「サンキュー・ヴェリ・マッチ」

というのだ。（ただサンキューがちょうどいい。ヴェリ・マッチが、少々やりすぎ、ということだな）と、出発のとき旅行社から教えられた知識を思い出して、村越は少し安心した。

気がつくと、白髪の堂々たるポーターが、もうスーツケースを持ちあげて、うやうやしくこちらをうかがっている。肩章や制帽はいかめしく、風采も、日本でなら大会社の社長か重役、といった貫禄がある。（こんなエラそうな人に、荷物をもたせたりして）と、また恐縮して考えたが、まさか奪い返すわけにもいかない。相手がいつまでも歩かないので、こちらが先にたって、ロビーに入る。美青年のドア・ボーイがさっとドアをあけてくれる。フロントに立つと、これも長身の、フィリップ公さながらの紳士が寄ってきて、

「イエス・サー？」

とうけたまわりに来た。

（日本ではホテルには慣れているのに、どぎまぎするのは、ここがアメリカだからかもしれない。チップのこともあるし）

そう、自分を納得させながら、署名する。ポーターにチップをやろうとしたが、もうエレヴェーターの前で、荷物を持ってひかえている。ここはポーターが、ページ・ボーイを兼ねるシステムらしい。

部屋へ案内して、荷物をおき、浴室や小調理室《パントリー》を教えてくれる。しかし村越は説明も上の空で、いくらチップをやったらいいかを、一所懸命に考えているのである。荷物一箇につき二十五セントだというが、こんな堂々たる紳士を、わずか五十セントで使うのは、まことに申しわけない気がする。一ドル、二ドルやったって、申しわけなさは同じである。といって、十ドル、二十ドルでは、こちらが気狂いあつかいされるだろう。

目をつぶる思いで、村越は一ドル紙幣を渡した。まったく自然に、紳士はそれをうけとり、上体をかがめて微笑してみせ、立ち去っていった。

一人になって、ほっとして、靴をはいたままベッドにころがった。

（いったいどうして、自分はこんなに、気を使うのだろう）

と思った。

考えてみると、自分たちの世代が特殊なのだった。

2

中学校の一年生のときに終戦になるまでは、アメリカ人は鬼畜だと教えられていた。アメリカをいずれ皇軍が占領したら（それを村越たちは信じて疑わなかった）アメリカ人を一人のこらず処刑せねばならぬ、と思いこんでいた。教師の説によると、アメリカ人こそは地上の、すべての悪の根源だった。

終戦と同時に、それが変った。真剣にアメリカ人虐殺を説いた教師がアメリカ礼賛をはじめ、アメリカ流民主主義を説くのだった。いや、教師に教えられなくとも、村越たち子供の目にうつったアメリカ人は、輝かしい存在だった。

ジープで焼跡を走りまわる占領軍兵士は美しくて、若かった。背が高く、陽気で、親切だった。子供をみるとやたらにキャンデーやガムをくれたがった。戦争中に聞かされていた鬼畜のイメージとは大ちがいだった。

天皇と並んだマッカーサーの写真が、また恰好がよかった。天皇がみすぼらしく見えることを嘆くよりも、子供たちは素直にマッカーサーのスマートさの方に打たれたのだった。日本人の上に君臨するマッカーサーのメッセージが、また、道徳の権化《ごんげ》そのものだった。

列車でも、青線や白線をつけた、いい車輌にのっているのは、白人の兵士だった。アメリカから送られてくるものは——家畜用トウモロコシ粉などの例外はあったが——チーズにしろ、粉ミルクにしろ、ハムにしろ、パンにしろ、ずっしりと中味があって、洗練されていて、上質だった。海草麺や塩づけ鯨の配給とは、質がちがっていた。いや、そうした質のちがいは、実は戦争中から、少年たちにはうすうす感づかれていたのだった。

たまたま撃墜されたB29の、防弾ガラスの破片が、しばらく教室での、宝物だった。うす青いその破片を机の蓋でこすり、切口を熱いうちに鼻に近づけると、ハッカに近い、何ともいえないいい匂いが漂った。これは少年たちにとっては敵の匂いであり、同時に、海のかなたの、よりすぐれた文明の匂いなのだった。

終戦後は、アメリカ人は日本の少年にとって、はっきりと神だった。現実のアメリカ人や、マッカーサーが神であるのみならず、映画で見る、芝生にかこまれた家で、自動車を駆使しての生活は、まさに神々の生活だった。そうした神々にかしずかれているアメリカの女は——ハリウッド映画で見るアメリカの美しい女は——まさに神以上の存在だった。

（そうした神以上の存在に、いきなり運転などさせたので、自分は面喰《めんくら》ったわけだ）

と、タバコに火をつけながら、村越は苦笑して考えた。

(おまけに、威厳ある神々に、荷物の運搬をさせたりして。……二ドルやそこらのチップで、神々がヘイコラするのだ。あのポーターも、フロントの男も、もしかしたら占領軍兵士として、日本にいたことがあるかもしれない。その手から、自分もキャンデーやチューインガムを貰ったことがあるのかもしれない。……それで、自分は落ちつかないのだ。きっと)

同じ年頃の日本人でも、女はまた違った反応をしているようである。もっと率直に、現実に適応している。村越や、その仲間の男たちのように、屈折した反応は示さない。

勤務先の、テレヴィ局の仕事で、村越は或るユダヤ系英国人の、日本人妻に会ったことがある。

英人というのは、国際的にかなり名の売れたヴァイオリニストだった。その妻が日本人だというので、テレヴィ局でインタヴュウすることになった。その打ち合わせに、彼ら夫婦の止宿先におもむいたのである。

止宿先というのは、ヴァイオリニストの友人の、某外国銀行東京支店長の私宅である。世田谷の奥の、千坪以上ありそうな庭園には鯉がはね、使用人の住む和風建築と、主人の住む洋館とがのびのびと建てられている。三十畳ぐらいありそうなサロンで待たされていると、執事が出て来た。しかつめらしい態度をくずさない、やはり英国人らしい男である。彼がまず、予備的な質問をうけたまわる、という段取りである。

話の途中で、もう一人の召使い（これは日本人だった）が出てきて、執事に耳打ちした。すると執事が、英語で何かいったが、これは通訳によると、

（もうすぐ奥様がお出でになります）

という意味らしい。そう言いながら執事は立ちあがり、すると通訳も立ちあがった。テレヴィ局の上役もつられて直立不動になり、何となく村越も、立ちあがらないとおかしい感じになった。

だいたい日本人の家を訪問し、夫人が出てきたからといって、立ちあがって迎えることは、まずないだろう。紹介されたときに立つぐらいがせいぜいである。

（その、日本人の女が、たまたま外人と結婚しているからといって、うやうやしく起立することはない。日本で、日本人の男が、日本人の女に紹介されるというのに！）

そう考えて、少しは長くソファに坐っていたのだが、まるで尻の下から、針で刺されるような気分だった。やがてハイヒールの足音がひびくと、とうとう村越も、弾《はじ》かれたように立ってしまったのである。

女は三十前後らしいが、二十五、六にしか見えなかった。顔が小さく、スタイルの良い、感じのいい女だった。一同が起って迎えているのを、困ったような微笑で受けとめて、黙って頭をさげた。話してみると、日本語は忘れかけているらしくて間のびしていたが、考え考え話す

ところが、かえって上品な感じだった。

ある外人商社につとめていて、ヴァイオリニストと知りあった、ということだったが、そこらのがさつなBGより、育ちもいいように思えた。

(こんないい、若い娘をさらいやがって。ヒヒ親父め)

と、村越はユダヤ系ヴァイオリニストの、禿げ鷹のような風貌を思いうかべて、心のなかでののしったが、心の底では、

(それも当然だ。この娘に高価な宝石を買ってやり、冬はスイスのスキー場、夏は地中海の社交場と、世界中をつれて歩けるのは、そこらの日本人ではむりだ。彼女があのユダ公を選んだのも、当然かもしれない)

と、あきらめて考えたりもするのだった。

話してみると、彼女は案外に気さくで、あとで村越が新宿のバーを案内することになった。送って出た執事は気むずかしげに、しかしうやうやしく彼女に何かささやいたが、彼女の方は気にもとめなかった。のみならず、二言三言、手みじかに指示を与える言葉つきは、当家の女主人としての威厳にあふれていて、村越はちょっと唖然として眺めていた。自分の年代の、日本人の男なら、とうていこんなに堂々と、白人に命令はできないにちがいない。

その思いがあったので、その夜、ゲイバーを何軒かまわって、アルコールが入ったとき、村

越はしつこくからむことになったのだ。

「やっぱり何ですか、外人は、その、日本人よりすぐれてますか、いろんな点で」

「いろんな点って？」

「たとえば、セックスが強いとか」

「さあ……わたし、あんまり知らないけど、変りないんじゃないかしら。お友達に聞いても同じらしいわ」

「しかし、彼らは肉食人種ですしね。しつこいし、精力的なんじゃないかな」

「どうなのかしら。……うちの主人はもう年だし……それに、精力的なのが必ずしもいいってわけじゃないし」

「しかし、一般の女性は、エネルギッシュで、しつこいぐらいの男性を好む、といいますよ」

「それも個人差だと思うわ。日本人と外人の差より、日本人同士、外人同士の差の方が大きいんじゃないかしら。みんな人間ですもの」

それは、村越もよく承知していた。しかし感情には、納得しないものがあった。彼らが自分たちと同等では、何となく困るのだった。それが、なぜかは判らなかった。

「それに、やっぱり奴らは」いつか奴ら、になっていた。「立派な感じがするものねえ、日本人より」

「そうかしら。あたし、外人に慣れすぎてるのかな。ちっともそう思わない。むしろ、日本人より不器用で、頭もまわらない人が多いんじゃないかしら。怠け者が多いし……ずいぶんイヤな人間も多いのよ」

「しかし……」

言いつのりながら、村越は、ふしぎだ、ふしぎだ、と思っていた。

(いったい、なぜ自分は、こうして一所懸命に外人の優越を証明したいのだろう。それを、この美しく育ちの良い日本女性の口から聞きたいのだろう。「外人はすばらしい。日本人はだめよ」と彼女の口から言ってもらうと、惨めな気持ではあるが、一方では安心もするようなのはなぜだろう?)

「しかし、たとえ頭が悪くても、やっぱり奴らの方が美しいからなあ。鼻は高いし、眼は深いし。……洋服も似合う」

「そうかしら。あたし別に、そう思わない。それは美しい人もいるけど、猿に似ている人もいるわよ。日本人の若い人の方が、よっぽど背広なんか、似合うこともあるわよ」

彼女の言葉も、あるいは真実かもしれない、と思った。たしかに、多くの外人を見慣れると、やはり欠点が目につくのかもしれなかった。だが、そう考えると、こんどは、

(こんな若い女が、外人をそんなに見慣れているなんて、怪《け》しからん。ハレンチだ)

と、考えてしまうのだった。この感じのいい女性を不快がらせることは承知の上で、つい、こう言ってしまった。

「それは何といっても、女性の方がコスモポリタンですからね。男性は、そうはいかない。やはり生まれた国の殻をひきずっている。だから、あなたのように虚心に、みんな同じ人間同士、というわけにはゆかないんだ」

「でも、男の人でも、ずいぶん国際的な人がいるわよ。外国語も達者で」

「そんな奴は、下らん奴にきまっている」

自分がますます過激に走っていることは、よく承知していた。「だいたいぼくは、外国語ペラペラの男なんて、信用しないのだ。堂々たる一個の男子が、外国語ペラペラであっていいはずがない。そんなのは人間のクズだ！」

もう自暴自棄だった。彼女から、ずいぶん軽蔑されたにちがいない、と思った。（女には判らないんだ。おれの悲惨さは）と自分を慰めながら、またウイスキイを喉に流しこんだ。その自慰の安っぽさに、またうんざりするのだった。

しかし、よっぽどよく出来た女なのか、何もかも見通していて、しかも同国の男を安っぽく見るのが厭なのか、女はさいごまで、機嫌よく、村越とつきあってくれた。

女が魅力的なだけ、抵抗感が感じられた。その抵抗感を煎じつめれば、こういうことになるのかもしれなかった。

(日本人の女のお前が、外人の男とセックスしているというのに、日本人の男のおれは、まだ外人の女と、一回もセックスしていないんだぞ。怪しからん。実に怪しからん)

いま流行している東海林某の漫画によれば、まさに「このーッ」という感じだった。

反省してみると、村越の違和感はまず、すべて日本の女は、日本の男のみの所有物であるべきだ、という考えから発していた。だから、それをもっと煎じつめれば、こういうことにすぎないのかもしれなかった。

(外人とセックスしていて、同じ日本人の自分とセックスしないのはなぜだ。許しがたい。もう外人の夫とはするな。……そして……そして、要するに……おれにセックスさせろ!)

まさか、それは口には出しかねた。それで、いっそう内攻した。

3

もちろん、大人になるまでに、ずいぶん村越の気持も変化した。

一時は、日本の伝統的な美にすがって、外国を軽蔑しようとつとめたことがある。自己暗示にかけるようにして、あるていどそれは成功した。大学の入学試験にもひとりだけ、旧かな正字を使ったりした。しかし、それはいかにもそらぞらしかった。

伝統の美を守ろう、という熱意においても、日本人より外人の方が上なのだった。フランスでは古い家具や街が大事に保存されている、というのに、日本人はどんどん遺跡をつぶして宅地を作る。美しい自然を、排気ガスや排水で汚す。不必要なダムを作って、川を以後何百年も濁らせる。

こうした日本人の心がけに絶望して、村越はまもなく、空しいこころみを放棄した。

(日本人は、結局、ダメなんだ。外人の方がエライのだ。外人にはかなわないのだ)と思いこむ方が、いっそ気楽だった。

たしかに日本にいる外人は、ことに村越が住んでいたような地方都市では稀少価値があった。外人のふつうの生活様式も、日本人がなかなかしゃべれない英語をしゃべる、ということだけでも、立派に見えた。

ごくまれに見る放浪者さえ、肌の色や彫りの深い顔や背の高さで、日本人よりはすぐれて見えるのだった。むろんのこと彼らの、厚い胸、よくひびく声、濃い体毛などは、日本人としても小柄で痩せぎすな村越を威圧した。

何よりも彼らは、背広がよく似合った。日本の着物さえ堂々として、よく映えるのだった。

(日本の女の子が、外人につぎつぎとやられ、金までまきあげられても、これは仕方ないのだ。当然のことなのだ)と、あきらめると、かえって気持は平静になり、かすかに自虐的な楽しみも、感じられぬことはなかった。

しかしアメリカへ来て、外人ばかりウヨウヨしている中にほうりこまれると、たちまち白い肌や彫りの深い顔つきや背の高さも、珍しくなくなってしまうのだった。彼らが英語を使うことも、子供のとき映画で見て、あこがれのまとに思えた生活様式も、ごくあたりまえの感じになった。

それがあまりに急激なので、村越はとまどっているのだった。とてもヘンな、不安定な感じだった。

（たぶんこれは、民主主義の手本として教育され、あがめてきた、〝神〟が、急になくなってしまったせいにちがいない。彼らが自分たちとまったく同じ〝人間〟であることは、当然だけども、どこか落ちつかない感じだ。彼らから客としてこんなに尊敬されるより、いっそ軽蔑され、ジャップ呼ばわりされた方が、気が楽なんじゃないかな。こんな、下へもおかぬサービスをされると、かえって居心地が悪い……）

ホテルのベッドにころがったまま、村越はとりとめもなく、そんなことを考えていた。

空腹を覚えたが、食事に出る気もしなかった。これからはホテルの食堂でも、レストランでも、英語を使わねば食事にもありつけないのだ、と思うと、溜息が出た。

しかし、いつまでも食べないわけにはゆかない。そもそも今回の渡米は、勤め先のテレヴィ局の仕事で来ているのだから、部屋にばかりこもっているわけにもゆかない。在米邦人が渡米してから成功するまでの、苦闘の歴史を紹介する番組の、下調べが目的なのである。だから、もっぱら一世二世に会っていればいいのは気が楽ではあるけれども。

勇気を出して村越は下着をかえ、コートを羽織った。キイをポケットに入れて、エレヴェーターを止めた。身なりのいい黒人の女が乗っている。村越を見ると、かるく会釈する。あわてて微笑を返そうとしたが、頬がひきつって、変な顔になってしまった。やむなく、軽く頭を下げておいた。

エレヴェーターが一階についた。彼が入口にいたので、日本での習慣通り先に出ようとして思いとどまったのは賢明だった。黒人女は当然のような顔で、さっさと出ていった。

(相手が黒人でも、レディ・ファーストなのかな？　気が疲れることだ)

と溜息をついて、考えた。

外は石造の建物に、低くなった薄ら陽がさしていた。夏だというのに、吹いてくる風は涼しい。オーバーを着た女も目につく。角にしゃれたレストランがあったので、大きなガラスごしに、中を見た。

窓のすぐ向うが炉で、あたたかそうに炭火が燃えている。その上で、金串にさした牛の肋肉《あばらにく》が炙《あぶ》られている。金串を中心にロール状に丸め、糸でしばってあるらしい。それがソースをたっぷりかけられ、金茶いろに光りながら、ゆっくりと回転しているのである。脂肪が絶えずしたたりおち、炭火の上で、小さい炎をあげる。匂いはないが、ガラス越しに熱気が感じられる。ビーフだけではない。その隣りには丸ごと一羽の七面鳥《ターキー》が、同じように照明に照りかがやいて、炙られ、熟成しつつある。

こんがりと焼けている、柔らかそうな脂肪と肉を見ているうちに、村越は空腹感がいっそう強まるのを感じた。奥の方をうかがうと、豪華な店がまえに似ず、ここはセルフサービスらしい。これなら白人の給仕に監視されて、チップの額に頭を悩ますこともない。

炙り肉の向うのカウンターに、中国人らしいコックがいて、皿をもった客の注文に応じて、銀の容器に入れた料理をつぎわけている。むしろ、ホテル・オークラあたりの、ビュッフェ・パーティの感じである。

ウインドウに貼りつけてあるメニューの値段も、三ドルから十二ドルどまりで、心配することはなさそうだ。強くなりだした夕方の風に吹かれるように、ドアを押して飛びこんだ。

「七面鳥《ターキー》、盛合《プレート》、プリーズ……」

と、メニューに書いてあった文字を、なるべくゆっくり発音した。中国人のコックはうなずいて、巨大なナイフとフォークをすりあわせた。

すでに焼きあがって背後にある七面鳥を、慎重に幾片か切る。サラダのソースを聞かれて、ちょっとあわてふためいたが、適当なのを指さして切りぬけた。コーヒーカップに注いだスープと、別にトウモロコシの柔らかく煮たのと、パンを一緒にのせてくれた。その向うのレジで、盆を見せて金を払うときに、ふと思いついてビールも一本とった。

夕食時間のせいか、けっこう混んでいる。若い女性や、きちんとネクタイをしめた勤め人が主である。一人客が多い。村越は隅のテーブルに自分の盆をはこんで、坐った。（これで済んだ。今夜はもう英語を使わなくていい）と思うと、はげしい食欲が湧いてきた。

日本ではあまりうまいと思ったことのない七面鳥が、ここではすばらしかった。いや、七面鳥の肉そのものは柔らかくて、鶏に似てもっとくせがなく、脂肪もなく、多少物足りなかったのだが、上にのせてある白い詰物《スタツフ》といっしょに食べると、とてもこくのある味に変るのだった。

詰物は七面鳥の脂肪と内臓をよくいため、いろんな茸《きのこ》や豆類といっしょに味つけをして、また腹のなかに詰めこんで、気永《きなが》に炙ったものらしい。この濃厚な味が淡泊な肉と調和して、いくらでも食べられそうだった。

ビールは日本のより苦味が少なく、アルコールが強い感じだった。七面鳥の脂っこいあと味をこのビールで消して、香りのいいパンで口なおしをした。皮の硬い、まだあたたかいパンはビールにもよく合った。サラダのドレッシングも、日本のレストランのより濃厚で、複雑な味わいで、サラダがまったく別の料理を食べている感じになった。

食べおえると、体があたたまっているのが判った。日本のレストランより量も多く、これで九ドルいくらかは安いように思えた。タバコに火をつけると、さらに勇気がでてきた。

「この勢いを駆って、少し、夜のサンフランシスコを探検するか」

と一人ごとを言った。時計をみると七時すぎだが、外はまだうす明るい。夕方がいつまでも、だらだらとつづく感じである。

コートの衿《えり》を立てて、ゆっくりと街を歩いた。石畳にひびく自分の足音が、いかにも異国の一人旅の感じで、悪くなかった。風の吹き通る十字路の角にくると、いきなり横合から、声をかけられた。

「どこにお泊り？《ウエアー・ドウ・ユー・ステイ》」

と聞えた。黒い毛皮を着て、プラチナ・ブロンドの髪をたかだかと結いあげた、白人の女である。恰好のいい脚の一方に体重をかけ、壁によりかかっている。ハンドバッグをひじにかけ、その手首をもう一方の手首でにぎり、二本の指にタバコをはさんで、ふかしている。

村越はふいに、足から力が抜けるのを感じた。おどろきというよりは多少、広い意味でのショックをうけていた。

サンフランシスコに街娼が多いことを、村越は日本で聞いていた。のみならず、チャンスをみつけて、ぜひ白人女と一夜を過ごそうと決心していた。しかし、こう思いがけないときにいきなり出てこられると、日頃のアメリカ人への、ことにアメリカ女へのコンプレックスで、反応してしまうのだった。

「アワ、ワワワ」

というような、意味にならぬ言葉を村越は口走っていた。夕闇のなかで、じっとこちらを見ている青い目は、神秘的なまでに美しく見えた。するとその美しさが、なぜか村越の恐怖感をそそった。平凡な日本女とちがって、この夜の天使の美しさは、人間的というより、妖精的な感じがしたのだ。

それでもやっと「ホテル・オリンピック」と答えながら、村越は大股に歩き出していた。ふしぎなことに、一刻も早くここから逃げたかった。ぐずぐずしていると、あの赤い口に、とって喰われそうな感じがあった。

(まだまだチャンスはある。この女でなくとも)と、弁解するようにつぶやきながら。

五十歩ほど、無我夢中で遁走《とんそう》してから、はっ、と歩みを止めた。

(何て馬鹿なんだおれは)と自分をののしった。(何も逃げることはないじゃないか。別のチャンスを待たなくったって、いま彼女と交渉したってよかったのじゃないか。長年の、アメリカ女コンプレックスから抜けだす、絶好のチャンスじゃないか)

あの女のところにひき返すのは照れくさかった。しかし、勇気を出さねばならなかった。

一ブロックをぐるりとまわってから、もとの位置にもどった。途中で、黒人女から何度か声をかけられたが、耳をおおうようにして駆けぬけた。

もう、その角に、彼女はいなかった。おそらく客をつかんだのにちがいなかった。

がっかりして、そのくせ少し安心して、村越はホテルにもどった。これから、川ひとつ渡ったバークレイ市に行って、用事をすませてこねばならないので、あまり街をうろつくわけにはゆかないのである。

このあと、言葉が通じないので、ちょっとした失敗があった。肌着を重ねて、外に出て、タクシーをひろった。「バークレイ」といって、その盛り場でおろしてもらったのだが、どうも様子がおかしい。警官に聞いてみると、たしかに「バークレイ」だという。しかし街角には「オークランド」と標示が出ているのである。

タクシーがなかったので、バスでいったん、サンフランシスコに戻った。そこでまたタクシーにのって、「バークレイ」と命じて、連れてゆかれたところが、またしてもさっきとおなじ「オークランド」なのである。どうやら日本人の「バークレイ」は「オークランド」に聞えるらしい。

悲しくなって、自棄《やけ》を起して、逆に、

「アイ・ウォンツーゴー・オークランド」

と叫んでみたらはじめて、判った、という顔をして、反対側の街につれていってくれた。ここにはまちがいなく「バークレイ」の標示がしてあった。

大学時代の後輩が、ここのT自動車販売につとめていた。電話しておいたので、オフィスでまだ待っていてくれた。会って、用談を済ませて、さっきの娼婦の話をしてみた。後輩はすっかり慣れているらしく、

「ああ、ここの街娼は、日本の女よりぜんぜんサービスいいですよ。口でやってくれるし、サドでもマゾでも相手をするし……プロ精神に徹している。いや、彼女たちを買いに行く男も、ふつうの女とではできない、そうした変ったことをしに行くんですからね。ぼくも一わたり、やってみましたが」

と、いともさりげなく言ってのけるのである。

どうやら、少し下の、彼のような世代は、すっかり白人コンプレックスから解放されているらしかった。

4

翌朝の九時ごろ、村越はホテルで食事を済ませて、外に出た。お昼に日本人街をたずねる予定だが、その前に市内見物をすませておこう、と思ったのである。

(あの角で、声をかけられたのだなあ)と、考えながら歩いた。(チャンスはやっぱり、前髪

をつかまえなければだめだなあ)

その角まで行って、思わず立ちどまった。声をのんだ。昨夜とおなじ恰好で、そこに彼女がいたのだ。プラチナ・ブロンドの髪は、朝陽に、まぶしいほどきらめいた。娼婦は夕方から夜にかけて客をとるのだ、という彼の日本的な感覚では、想像もできないことだった。

(アメリカの女は、精力的なんだなあ)

と、ちょっと威圧される思いで考えた。

すでに視線はからみあっていた。もう逃げられなかった。すてばちな覚悟も決まった。よし、やるのだ。この白人女を抱いて、何十年もの白人コンプレックスから脱出するのだ。でなければ、アメリカで生活しにくくって、仕方がない。

女が何かいった。よく判らないので、

「ハウ・マッチ?(いくら?)」

と聞いた。言いおわってから、こんな美しい女性に、何という冒瀆《ぼうとく》の言葉を吐いたものか、と後悔した。しかし当然のことながら、相手は少しも怒らなかった。

いくらならあなたは出せるか、という意味らしい英語で、女は問いかえしてきた。

頭のなかで、すばやく村越は計算した。日本でもコールガールは一万円、高級なのになると三万円もとるのがいる。これくらいの美人なら、三万円ぐらいは当然だろう。

三万円というと八十五ドル。その数字を言いかけて、さすがに四十年ちかく生きてきた勘定高さが制した。（まず五十ドルといってやれ。それで怒って商談を打ち切ることもあるまい）

そこで「五十弗《フイフテイー・ダラーズ》」と、言ってみた。

女はじっと彼を見た。彼を吸いこみそうな目の色の深さである。

（安いことを言ったので、怒ったのかな、このまま魔法をかけられて、石にでもされて、日本に帰れなくなるのではないかな）

と考えた。その眼に、魂を吸いとられるような感じは、しかし悪くはなかった。

女は口をひらいた。

「二十ドル《トワニィ・ダラーズ》ではどうか？」

といっている。村越は耳をうたぐった。

それから、はっ、と気づいた。五十弗《フイフテイ》といったつもりを、こちらの発音が下手なので、十五弗《フイフテイーン》とまちがえられたのだ。バークレイがオークランドに聞えたのとおなじだ。それを相手は怒らず、二十ドルと申し出ている。とすると、怪我の功名だが、十七、八ドルで妥結するかもしれないぞ。

しかし、二十ドルでも、どうということはなかった。日本円で千円の差は大きく感じるが、三ドルの差と考えると、何でもないように思われてしまうせいもあった。

「二十弗、ＯＫ」

と、村越は言った。女はうなずき、先に立って歩きだした。胸をはずませてついてゆきながら、村越はこんないい天気の、しかも朝っぱらから、外人女を買ったりする羽目になったことに、わずかに忸怩《じくじ》たる気持を味わってもいた。

古びたホテルというか、マンション風の堂々たる玄関に、村越はつれこまれた。女がボタンを押すと、鉄格子のついた古めかしいエレヴェーターが、きしみながら降りてきた。何となくまわりをみまわして、女は村越を押しこむようにした。（レディ・ファーストでやらなければいけないのでは）と思って、女を先に立たせようとしたが、女にそんな余裕はないようだった。四階の、角の部屋のドアに女はキイをさしこんだ。建物は立派で、床にも壁にも石がはってあったが、隅には埃やゴミがいっぱい溜っていた。それも石油のしみたような、黒くて粘っこいゴミだった。

中に入った。小犬が尻尾を振って飛んできた。入って右がバス・ルーム、向うが十二畳ほどの寝室で、大きなベッドと、ソファがある。他に何も調度はなく、がらんとしている。ベッドの頭の酒棚が目立つ。窓にはブラインドがおろされ、朝の弱々しい光りが、床に縞目模様をつくっている。

そのなかで、さっさと女は、黒い毛皮のコートをぬいだ。下は白いベージュ色のスーツとブラウスで、それもためらわずにぬいで、椅子の背にかけた。活発な動作に空気が動き、光線のなかで微細な塵が舞った。プラチナ・ブロンドの彼女の髪や、あまりにも白い肌が光をはねて、まぶしかった。埃さえ、白金の粉が彼女を包むように見えたのだった。

紫のブラ・カップとパンティ、黒のガーターと靴下を、彼女はつけていた。その姿のまま、手を腰にあてて、ハイヒールの踵を鳴らしながら、部屋を歩きまわるのだった。発育の良い雌馬のように、尻をプリプリと左右に振って。

街角で客を待っていたときは、どちらかといえばおとなしい感じだったのに、いまは奔放な街娼そのもの、といった雰囲気だった。もっとも高貴な感じはそのままで、ときどき歩みを止めては、じっと流し目に彼を見るときなど、村越は目まいがしそうに感じた。

(何とすばらしい均整だろう。何と輝かしい肌の色だろう。何と神々しいばかりの金髪だろう。外形をみているかぎり、まさに女神だ。彼女が女ならば、日本の女は、雌猿だ!)

そして困ったことに、これほどの美しい外形が、みにくい、卑しい精神を持っているとは、とても想像できないのだった。

(こんな美しい白人の女が金で抱けるなんて、嬉しい、というより恐ろしい感じだ。こんなことが、ほんとうに許されていいのだろうか)

歩きまわって肉体を誇示したのは、サービスなのか、それとも、もっと高く自分を売りつける手段なのか判らない。とにかく、彼女は椅子にかけた村越の前に立つと、ちょうど目の高さの下腹を、ぐっとつきつけたのである。

美しいふくらみがつい目前にあり、獣じみた体臭と香水の混った匂いが鼻を打った。圧倒される思いで、村越はのけぞった。ソファの背もたれに頭がつかえて、それ以上は逃げられなかった。

うすく笑って、女は何かいった。「性交《ファック》」という言葉は聞きとれた。なおよく耳をすますと、

「汝は性交を好むか、口腔《オーラル》にての快楽を好むか」

といっているのだ、と判った。いや、半分は女が、口紅を塗った唇をすぼめて、舌先を出し顔を前後にうごかしたので、やっと判ったのだ。

ちょっと迷った。両方とも魅力的だった。それに、予想より安い値段で交渉がまとまったのだから、欲張ることにした。

(両方とも、私は好む)

と言ってみた。

(それなら、もう二十ドル出せ)

と女は言う。もちろん、こんな圧倒的な乳房や、腰や、歯を立ててかぶりついたらさぞおいしそうな腿を賞翫《しょうがん》できる値段としては、安いと思った。しかし経済人としての村越の良識が、

辛うじて抵抗させた。

(十五ドルに値引《ディスカウント》きはできぬであろうか)

(いや、あなたはもう二十ドル、どうしても出すべきである)それから、女はいたずらっぽく目をかがやかせた。(その方があなたは有利である。なぜならば、二十ドル出したら、私はあなたに、酒《ユー・キャン・ドリンク》ものませてあげよう)

ただドリンク、といったようにも、おいしい酒を、とつけ加えたようにも思う。たしかにベッドの頭には酒瓶が並んでいたものの、あまり飲みたくはなかった。それに、赤い顔をして酒くさい息を吐いて、午後からの仕事に、でかけてゆくわけにもゆくまい。

(しかし、一杯ぐらいならいいだろう)と思った。何よりももう値切るのは面倒だった。この、女神のような女体に触れ、嗅ぎ、舐め……それ以上のこともできるのだ、と思うと、感激で胸がつまりそうだった。これ以上つまらない交渉ごとに、時間を浪費したくなかった。

「二十弗、OK」

と、村越は言った。

女は村越の喉もとに、長い爪のそろった、細い掌をつきつけた。その爪はマニキュアされ、グラマラスな体に似ず、血管が透いて見えるほどに華奢《きゃしゃ》だった。しかし村越は一瞬、薄いが鋭利な刃物をつきつけられたように感じた。

二十ドル紙幣を二枚、旅行会社の搭乗券入れから出して、掌にのせた。女はまた、尻を振りながらベッドに戻ってゆき、紙幣をハンドバッグにおさめてから、ふりかえって、

（服をぬげ）

と命ずるのだった。

細い腕や、薄い胸がはずかしかったが、ためらってもしかたがなかった。

彼の貧弱な体に、女は関心を払っている様子もなかった。自分もさっさとブラジャーをはずし、靴を踏みそろえてぬぎ、薄いパンティをぬいだ。やや濃い、栗いろに近い毛が、ガーターでふちどられたアーチのなかに燃え上った。たしかに、燃え上った、という感じにふさわしく、栗いろの毛は光線のなかで、一瞬、オレンジ色にきらめいたのだった。

ふっと感動して、村越はぼんやりと眺めていた。そんな彼の感動には頓着なく、女は交互に脚をあげては、無造作にストッキングを、くるくるとぬいでゆくのだった。ガーターだけをぶらんと垂らして立ったが、それも一瞬で、たちまち床に落された。自分にとってこんなに高貴に、美しく見える肉体を、彼女がいとも気楽にあつかっているのが、ふしぎなような気もした。

バス・ルームに行こうとして、まだ立ちつくしている村越を、不審そうにふりかえった。尻と背を見せて、半身をひねったそのポーズが、またすばらしい量感にあふれていた。半開きの唇も、こぼれる花びらのような白い歯も、物問うような目も、近づきがたいほど魅力的だった。

あとを追いながら、

(彼女が美しいのか。それとも、白人の若い女だから、これほど魅《ひ》かれているのか)

と、考えた。どうやら両方らしかった。

(いずれにしろ、この女が買えるのだ。金で抱けるのだ！)

バス・ルームのなかには、もう水音がして、湯気が立ちこめていた。女がバス・タブのコックをひねって、立っているのだ。勇気をふるって入ってゆき、ドアをしめると、女の乳房が鼻先につかえそうになった。背の高さはおなじぐらいだが、乳房が巨大に盛り上り、突き出しているので、そう感じるのだ。片脚をバス・タブのふちにかけた大胆なポーズだが、日本の女とちがって、にこり、ともしないので、ちょっと怖いようでもある。なによりも、これからセックスをするという、柔らかい感情が湧いてこないのである。

いきなり、女の手がのびた。つかまれて、しごかれた。目をちかづけて、しげしげと彼の先端を観察し、検査しているのだ。指先に力を入れて、開くようにして、粘膜を注意ぶかく眺めているのだ。

意味もなく、村越はふるえた。白人の女から、何か残酷な検査をされているような、スリルもあった。そのせいで彼の肉体は、女の白い掌のなかで、かなり乱暴な刺激を受けながらまだ中途半端なままだった。

それから女は、手に石鹼をつけた。それでわしづかみにした彼の先端を、猛然とこすりはじめた。ほんとうに皮がすりむけるほど、洗い立て、磨き立てるのだった。

必死に村越は気持をそらした。ちょっとでも甘美な気持になったら、たちまち終ってしまいそうな危険を感じた。幸いに摩擦は強すぎ、猛烈すぎたので、快さよりもむしろ痛みの方が強かった。しかしその痛みも、ほんのちょっとしたきっかけで、快感に転じそうなので、怖いのだった。

(痛い、痛い、たまらない。だめだ。助けてくれ。ああ、お願いだからもっと柔らかく、やさしくやってくれ。あなたは乱暴すぎる、力も強すぎる。そんな美しい、天使のような顔をしているくせに)

しかし、優しくされて、それだけで終るのも、むろん、困るのだった。

(もしかしたら)と、肩をひそめて、歯を喰いしばって我慢をつづけながら、村越は思った。

(この女は、手だけで四十ドルをせしめるつもりではないだろうか。東洋の、黄色い猿などは、手で終らせてやるのが身分相応だとでも思っているのではないだろうか。そのあとで、寝室で酒の一杯もふるまわれて、追い出されるのか……)

白人の、美しい彼女に、みにくい日本人の自分が、そのようにあつかわれるのも当然かもしれない、という、気弱なあきらめも生じてくるのだった。

このあきらめは、意外に快かった。たぶんこれは、英人音楽家の日本人妻と話して、日本人を卑下したくなった気持と共通していた。これ以上落ちようのない安心感があった。井戸の底から青空をのぞいているような、被保護感と、甘えさえあった。

するとふしぎなことに、村越の肉体は白人女の掌のなかで、みるみる体積を増しはじめたのだった。石鹸の泡にまみれながら、やっと雄々しく、頭をもちあげたのである。

「フーフン」

というような、納得した、という感じの声を女はもらした。それから、村越の肩を上から抑えつけた。どうやら、タイルばりの床に坐れ、ということらしかった。

(トルコ風呂みたいに、垢をこすってくれるのかな)と思いながら、足をなげだして坐った。浴槽にもたれるように坐ったので、背中を流してもらうのには工合が悪い、と思えた。しかし、終戦後何十年も、漠然とながら女神のように考えていた白人女に、いくら金を払っているとはいえ、背中を流してもらうのは、落ちつかないにちがいなかった。

それでは胸や腹を洗ってくれるかというと、そうでもなかった。シャンプーをとって、女は前かがみになると、ごく大ざっぱに自分の股のあいだを洗った。それから彼の前に立ちはだかった。か、と思うと、いきなり太い腿をあげて、村越の頭をまたいだのである。さいしょのように、片脚をバス・タブの縁にのせて立ったのである。

あっけにとられて上をあおいだ村越の目に、雄大な脚のアーチがいっぱいにひろがった。それだけではなかった。女の手が彼の頭をつかむと、いきなり腿のつけ根に、栗いろの繁みにおおわれた部分に、押しこんだのである。

額や頬にあたる、毛の感触は強烈だった。硬さは日本の女と大差なかったが、乾いていて、濃くて、ほとんど地肌が触れなかった。腋臭《わきが》を煮つめたような体臭が、はげしく鼻を刺した。驚きが先に立って、嫌悪感も湧かなかった。

女が何をさせようとしているかを知って、村越は一所懸命に舌を伸ばした。しかし毛が深すぎて、あの特有の、なつかしい舌ざわりの部分には、なかなか達しないのだった。それからふっと、自分がとんでもない誤解をしていたことに気がついた。

(このことだったのか。口腔《オーラル》セックスとは向うがやってくれるのではなくて、こちらがやらせていただくわけか。それに、二十ドルも取られたわけか!)

それならそれで、もとを取らないと、損のように思われた。

おそらく、努力の甲斐はあったらしい。乾いたままだった目的の部分は、わずかにうるおいはじめた感じがあった。自分の唾か、と思ったが、それにしては刺激的で、大量にすぎた。意外に太い声で女はうめき、乳房を抑えて、腰をつき出すようにした。分泌はいちだんと増したようだった。

(危いかな。……まあ、あとで酒を飲ませてもらって、消毒すればいい……)

と思いながら、村越はいっそうはげしく努力をした。

それにしても、分泌は多すぎた。ちろちろと、彼の顎をつたって、流れだした。辛うじて飲みこんだのだが、液体はやがて、とてもおさまりきれない量になった。あたたかなしぶきをあげて顔に当り、淋漓《りんり》と流れ落ちるのだった。

はっ、と気づいた。それはもはや、快楽の分泌液ではなかった。もっと日常的な……。

そのとき、頭上から、女の声がひびいた。

「ドリンク・ドリンク(飲め、飲め)」

(ドリンクか……そうか)と、頬をぶちのめされるような思いで、また気づいた。(おいしい酒とは、このことだったのか。ドリンクというのは、ほんとうの酒をのませることではなかったのか。……まちがえていた。さいごまで、とんでもないまちがいをしていた)

バークレイの友人が言ったように、この女はマゾヒストを相手にしつけている娼婦にちがいなかった。

しかしいまさら、どうしようもなかった。それどころか、

(ああ、白人女の小水を飲まされる。これが戦争に負けた日本の男には、いちばんふさわしい待遇かもしれない。たしかに自分はアメリカに来て、これではじめて、身分相応の待遇をうけ

ているのだ）

と思うと、また例の、安らかで甘美な気持が、胸の底からこみあげてくるのだった。ほとんど涙が出そうなほどの、至純で謙虚な気分だった。

村越はすっかり落ちついて、目をとじた。もう、覚悟はきめていた。

解説

七北数人

本シリーズ「日本語の醍醐味」も第一回刊行から十年を数え、今回で十冊めの節目となる。そんな記念の一冊が念願の宇能鴻一郎篇となり、編者にとってこれ以上の喜びはない。前回の太宰治と並び、世界無比の二大文豪だと私は思っている。

マジメな顔でそう力説すると、結構マジメに笑われる。太宰でさえ昔は大っぴらに好きと言えない空気があったが、宇能鴻一郎といえば一九七〇年代から八〇年代にかけて一世を風靡した超有名ポルノ作家だったからだ。「あたし〜なんです」という女性告白体の明るくコミカルな小説を、中学生の私も、友達の家で何度か読んだことがある。性的な興味ももちろんかきたてられたが、それ以上に、みんなで朗読するたびに笑いが起こるファルス（笑話）のイメージが強かった。

七〇年代後半からは「宇能鴻一郎の濡れて立つ」など「宇能鴻一郎の〜」というタイトルのポルノ映画が続々と公開され、街角のあちこちにキワドい絵柄のポスターが貼られた。以降、ウノコウイチロウと声に出すこと自体が禁忌であるような、一つの独自ジャンルを形成した感がある。当時、高校生の私は、古今東西あらゆる文学を読み尽くしたいと念じていたが、あいにく宇能文学はアンテナにかかることなく十数年が過ぎた。

キッカケは筒井康隆が一九六九年に編纂した名アンソロジー『異形の白昼』だった。私が読んだのは一九九三年、この本の文庫版で、しかも第十四刷だったので、気がついたのは相当遅い。でも長く版を重ねていてくれて、ありがたいことだったと今でも思う。

恐怖小説の名短篇をとりそろえたこのアンソロジー中でも、特にきわだった印象を残したのが、宇能鴻一郎の「甘美な牢獄」だった。後年の宇能作品とはまったく違う、濃密で麻薬的な文章に酔い、感覚のどこかが壊れてしまいそうなほどの衝撃を受けた。

筒井の「編輯後記」にはこう書かれている。

「この世の地獄を描いて宇能氏の右に出るものはあるまい。ただ、グロテスクなだけではない。説得力がある。時には郷愁によって、時には異国情緒によって、時には荒々しい破壊衝動によって、読者は否応なしに宇能氏の描くこの世の地獄に誘いこまれてしまうのである」

筒井の言は決して大げさではない。私は一作で、すでに宇能文学のとりこになっていた。「この世の地獄」をもっともっと味わいたくて、宇能鴻一郎の初期作品を片端から、むさぼるように読んだ。どの作品にも、やむにやまれず暗い官能の洞窟へおちこんでいった者たちの姿が描きこんであった。彼らこそ真に「生きている」人間だ、という一貫した作者の主張がきこえ、人間という存在の底知れぬ奇怪さがみえてくる。

一九六二年に「鯨神」で第四十六回芥川賞を受賞してから、ポルノ小説の大家になるまでの十数年間に、宇能鴻一郎は密度の濃い文体による作品集を四十冊ほど刊行していた。しかもそのすべてが、世界文学にも稀な芳烈な魅力を放つ秀作ぞろいであった。一冊の短篇集の全部が傑作という、そんな作家はめったにいない。

エッセイや再編集本、別名義の小説なども入れれば、十数年で六十冊以上も刊行されたのだから、この当時から宇能作品が売れていたのは間違いない。しかし、そのほとんどは文庫にもならず、埋もれ、忘れ去られてしまった。その後の、さらに爆発的に売れた「あたし〜なんです」スタイルとあまりに隔たりが大きかったせいもあるだろう。

それも一因ではあれ、もっと根本的な原因は、文壇で正当な評価を受けなかったせいである。純文学と大衆小説とを問わず、当時は性を主題にする小説が流行していたが、反面、性を描くだけで忌避される傾向が文壇にあった。当時の文芸評論家には、大御所として平野謙がおり、新鋭として江藤淳がいたが、この二人が性文学忌避の急先鋒であった。

平野は一九六一年十二月の文芸時評で、現代小説の最重要テーマは「アクチュアルな社会的関心」であると宣言し、大江健三郎の傑作「性的人間」などは数行で切り捨てた。大江はその一年後、文庫版『われらの時代』のあとがきで「日本文学で性的なるものがこうむっている評価は、およそ他のいかなるもののそれにくらべても、より低くより悪いだろう」と苦言を呈している。

平野の時評内では、文壇の大御所による性文学もこきおろされた。川端康成の「眠れる美女」をリアリティがないとケナし、谷崎潤一郎の「瘋癲老人日記」にも皮肉な反発を記している。安部公房の「人魚伝」や「他人の顔」、吉行淳之介の「砂の上の植物群」なども一方的に否定しているので、宇能作品が受け入れられる余地はハナからなかった。

江藤淳はもともと時評家には不向きの人で、「これは愚作」「これは佳作」とたった一言で終わらせるクセがあったが、やはり性的なものを憎んでおり、「瘋癲老人日記」や「人魚伝」には執拗に悪口を書きつらねた。当然、宇能文学は江藤の恰好の餌食となった。ここに江藤の宇能作品評を一部でも引用すべきかと思ったが、どれもこれも文学の言葉とはかけ離れた汚らしい悪罵ばかりで、どこをどう引用しても作者に失礼だし、本書の価値まで下がってしまいそうで引用できなかった。

かわりに「人魚伝」についての批評を引くと、「そこに明晰なものがないのが致命的な欠点である」と江藤は書く。しかし「明晰なもの」からは、怪奇も、幻想も、表現の多様性も生まれない。自己存在の不確かさ、仮面性、あるいは自己と他者との反転という、安部公房本来の重要テーマが「人魚伝」にはあり、ひいては文学の根幹にかかわるテーマがそこにあったのだ。性を忌避し、幻想を嫌い、ただやみくもに物語を否定した文芸評論家たちは、世界文学の潮流を見誤っていたのではないかと思う。

事ほど左様に、文芸評論なるものは害悪でしかないものも多い。そのせいで、過去いったいどれだけの傑作が埋もれてしまったことか。思えば暗澹たる気持ちになる。

だから今、作品を読む前にこの解説を読んでいる読者がいるとしたら、ひとこと忠言したい。まずは、あらずもがなの解説など読まず、作品にじかに触れてほしい。凄さは、読めば必ずわかる。


冒頭からの三作は、思春期の少年を主人公にした清冽な青春小説である。思春期というのは、性衝動の原初的なたかぶりが生々しく現れる時期だから、個々人の性における重要な劃期《かっき》でもあるのだろう。

宇能鴻一郎の文壇デビュー作となった短篇「光りの飢え」（一九六一）も、次作の芥川賞受賞作「鯨神」（同）も、暴発する青年像を描いたものであったし、その後の膨大な作品群を見わたしても、少年や青年を主人公とする宇能作品は数多い。

性は巨大な底なし沼のように、少年を引きずりこむ。とろけるような甘さと相反する強烈な苦み、理由のない破壊衝動、それら若い青春のすべてが宇能作品にはギッシリと、しかし繊細に埋めこまれている。

暴発する青春の物語は、直線的にハードボイルドに結びつく。事実、文壇デビューより二年前に仲間たちと創刊した同人誌『異次元』に、宇野興長名義で発表した小説「闇屋貴族」は、青年の野心にみちた犯罪と暴力と性をスリリングに描いた、純然たるハードボイルド作品であった。

「光と風と恋」(一九六六)では、破滅的な暴発の手前でとどまっているが、そのぶん、文学の王道ともいうべきクラシカルなロマンティシズムがたっぷり盛り込まれている。著者自筆年譜によると大学入学前、フランスの作家コレットを愛読したとあり、美しい年上女性への切ない思慕は、まさにコレットの「青い麦」へのオマージュともとれる。昔も今も、文学や映画に数多くとりあげられてきたテーマだ。ここで描かれる恋人の母の魔性は、イソギンチャクやホヤのイメージをなまめかしく纏《まと》って、鮮烈な印象を残す。

恋が破れたと感じた博之が、一人、疲れ果てるまで泳いだあとの描写――。

「仰向きに浮かび、孤独な太陽だけが燃え狂っている空を見あげた。島影も、海岸の白砂も、彼を呼んでいる京子の姿も、すべて逆しまになって蒼穹の端にひっかかっていた」

スタイリッシュな表現なのに、映像がリアルに立ち上がる。二度と消えない青春の痛みが、風景のすべてに刻印されているのだ。

「雪女の贈り物」(一九六六)と「野性の蛇」(一九六七)は、満洲(現在の中国東北部)の奉天で終戦を迎えた少年の物語。巻末の著者プロフィールを参照していただければおわかりのとおり、両作には自伝的要素がかなり混じっている。現実の著者は終戦時に小学校(国民学校)の五年生であり、四歳下の妹と両親との四人家族であった。横暴なソ連進駐軍や国府軍に恐怖しながら、この地で古本、ヒューズ、納豆、乾パンなどを売って暮らし、地下室に忍び込んでの窃盗行為なども行ったという。

自伝的、といっても当然ながら殺人の事実はないし、二作品の方向性は正反対なほどに異なる。「雪女の贈り物」は、抒情的でノスタルジック。雪女のイメージをもつ女医優子への少年の淡い思いが、優子自身の表情にもあたたかな哀しみをにじませた。「野性の蛇」のほうは、世界の汚辱、暴力的なものへの強い反抗心が描かれ、後半は復讐が主題となるハードな作品。作品自体はあっけなく途切れてしまうが、復讐の主題はこの後も宇能作品の大きなテーマとして問われつづけることになる。

エッセイ「わが暗殺」(一九六四)には、パンパン嬢との同居やそれに伴って母親の受けた鞭打ち刑の話、これに復讐するべくナイフを手に憲兵将校を待ち伏せした話などが書かれているし、連載エッセイ「私の女性開眼」(一九六七)には、腎臓治療をしてくれた女医の話が書かれているので、それぞれにモデルはあったようだ。もちろん各人の性格や会話、物語展開など、大部分は創作であろうし、宇能作品においては、どこがどう事実と異なるかを追求しても意味はない。ただ、なぞられた事実が確かにあり、その事実のなかに、著者が強い思いをとどめつづけたくなる何かがあった、そのことだけを重要視したい。外的な事実とは別に、少年の性に対する憧れや恐れや執着、世界への怒りは、当時の著者の内面とかなり通じるものがあるのではないかと想像している。

おもに性を主題としながらも、宇能文学には多様なテーマがあり、スタイルもジャンルも色とりどりであった。

谷崎潤一郎を追悼したエッセイ「潤一郎びたり」(一九六五)において、「いちばん影響を受けた近代作家」は谷崎だと述べ、「万物の運命を司《つかさど》る神秘は、もっと豪奢な装飾でとりまかれているべきなのだ。その意味で谷崎氏の星が宿っていた黄道帯北側の獅子宮は、つくづく華麗に飾られた宮居《みやい》であった」と、熱烈な美文でその死を惜しんだ。

これほどの谷崎愛を披瀝したとおり、宇能作品の半分以上は谷崎へのオマージュになっていると言ってもいい。あくなき性の冒険、快楽への没入、夢幻的な文体、エンタテインメント精神、ファルス性、誇張、仮面、聞き書きスタイルや語り文の多用、歴史物語への親近、探偵小説好みなど、あらゆる要素が谷崎文学から受け継がれている。

なかでも最も通底するモチーフは、閉ざされたユートピア建設願望ではないだろうか。

たとえば谷崎の「金色の死」では、大富豪が莫大な金をつぎこんで、異国情緒あふれる優美な楽園をつくりあげる。この楽園には、人魚や妖精に扮した奴隷たちがいる。あるじと客人が歩く「池」には、素裸の人間たちが敷き詰められていた。あるじの欲望はどんどん肥大し、最後にはみずからの全身に金箔を塗抹《とまつ》し、死ぬまで踊り狂った。

「金色の死」を偏愛した江戸川乱歩の「パノラマ島奇談」でも、大富豪になりかわった男が、人間を使役する官能の楽園をつくる。海中散歩ができるガラスチューブには、わざとゆがみが入れてあり、泳ぎ戯れる人魚役の女性たちを奇怪な姿に変形させたりした。現代のヴァーチャル・リアリティやメタバースの世界よりもずっと生々しい、残酷で美しい妄想のユートピアがそこにはあった。

谷崎や乱歩の衣鉢《いはつ》を継ぐ宇能鴻一郎作品にも、大小さまざまな楽園が登場する。本書の中心に配した「殉教未遂」（一九六六）「狂宴」（一九六九）「甘美な牢獄」（同）の三作はその一端。とくに「殉教未遂」は、「金色の死」や「パノラマ島奇談」と精神的にも近く、同じく乱歩の「お勢登場」と通じる部分もある。サロメやギュスターヴ・モロー、ルートヴィヒ二世、ワーグナーなど、デカダンスを代表するイメージの奔流が凄まじい。ベッド脇の大鏡にわざと凹凸のあるガラスを用いてあるのは、パノラマ島のひそみにならったものか。ピグマリオン趣味も含めて、さまざまな宇能文学のモチーフが無造作に散りばめられた贅沢な短篇。

「狂宴」は、インドのボンベイで展開されるエキゾチックな艶夢。退屈をもてあました資産家たちの秘密サロンでの、恐ろしくも魅惑的なヴァーチャル・ユートピアが描かれている。乱倫に満ちた物語を、書かれたままに現実化する趣向には、ただひたすら死へ向かっていくほかないデカダンスがよどんでいる。それを「はげしい妬みの感情を」もって描く作者のペンは、夢幻的・陶酔的で狂おしい。月の光が水を青くみせる描写のなまめかしくも神秘的な美しさ。とろけるような官能。ここにもギュスターヴ・モローのきらびやかなデカダンス芸術が重なって映る。

「甘美な牢獄」は台湾が舞台で、先にも述べたとおり私にとって宇能文学との出逢いとなった大切な作品。ユートピア願望のかたちにはさまざまあるが、森や秘密部屋など自力では逃れられない閉鎖空間で、麻薬的な陶酔や性的な幻想が永遠につづくアヘン窟めいた場所がユートピアになることもある。そこには監禁される恐怖とともに胎内回帰願望もひそんでいよう。とりこまれる、というより、とりこまれたい。自分が自分でなくなり、永遠へと溶け込んでいく。人工楽園の園丁《えんてい》が描く、それはまさに「この世の地獄」といえる。

「官能旅行」(一九七〇)の舞台も台湾だが、雰囲気はガラリと変わって素朴な旅行記の体裁で進む。もっともタイトルとは裏腹に、感傷旅行の風合いがある。夜店の靴みがき少年やポン引きたちに、かつての、満洲や駐留米軍キャンプでの少年時代を追想し、しぜんに重ね合わせて見てしまう。しかし「感傷的になりそうな自分を、叱りつけて」それは偽善でしかないと指弾するあたり、逆転した少年讃歌が胸にせまる。「雪女の贈り物」や「野性の蛇」の少年が立ち返ってくるようだ。美人の娼婦相手には何も感ぜず、さりげない安らぎを与えてくれた不美人に限りないいとしさを感ずるところにも、根を同じくする人間讃歌がこもっている。走り去る女の背を見逃した、たったそれだけのことが「私のなかに、小さな悔恨となって残った」と書く、不良少年の求めた心の官能は、こんなにも素朴で、やさしかった。

最後の「神々しき娼婦」(一九七二)は、アメリカが舞台。終戦後の華々しく輝いていたアメリカ。背の高いカッコいいアメリカ人。憧れとコンプレックスとをないまぜにして、大げさな身ぶりで自虐ネタが連発される。自虐の内容も語り口も、その手の作品ではピカ一だった太宰治をほうふつとさせる。つまり一流のファルスに仕上がっているのだが、作品は徐々に谷崎的な方向へ向かっていく。

デカダンス文学という括りで見れば、無頼派と耽美派は意外に近縁だったのだと気づかされる。先に「潤一郎びたり」関連で列挙した、エンタテインメント精神、ファルス性、誇張、仮面その他、谷崎文学に特徴的な要素は、すべてそのまま無頼派にも当てはまる。

作品のラストでは、谷崎最初期の名品「少年」のラストが重なる。谷崎の少年が聖水拝受によって無限に堕ちゆく快楽に溺れたように、自分の最後のプライドを捨てた村越もこの後、おそらくは人間でなくなり、無上のユートピアへ堕ちていくのだろう。

ここにおいて、この作品は谷崎の正統に連なり、マゾヒズム小説の白眉となった。この境地に快感を導くまでの人物設定がいやったらしいほどに巧みなので、笑ったり共感したり反発したりしながら読んでいくと、いつしか誰もが、SMの嗜好を自分の裡《うち》に持っていることを知らされる。知らされることに嫌悪をもよおしたのが儒学者的な評論家らで、彼らの反発を買ったために宇能文学は正当な評価を受けずに長らく埋もれてしまったのだ。

体の底から疼き出るものを描くこと——ここにも、人間の真実にせまる道が確実にある。思想がないとバカにされた谷崎がなぜ最も回数多くノーベル賞の候補に選ばれつづけたか。圧倒的な共感、体と心の疼きが、壮麗な筆致でありありと描き出されていたからだ。

この点でも、宇能文学は谷崎文学の正統な後継といえる。人間の深みをこういうところから描いていける作家はそうそういない。

初出一覧

光と風と恋　『小説現代』一九六六年十二月
雪女の贈り物　『オール讀物』一九六六年十二月
野性の蛇　『小説新潮』一九六七年一月
殉教未遂　『小説現代』一九六六年三月
狂　宴　『別冊小説セブン』一九六九年一月
甘美な牢獄　初出誌未詳、一九六九年
官能旅行　『推理』一九七〇年三月
神々しき娼婦　『問題小説』一九七一年二月

「光と風と恋」「雪女の贈り物」は『獣の悦び』(講談社、一九六六)、「野性の蛇」は『血の聖壇』(講談社、一九六七)、「殉教未遂」は『痺楽』(講談社、一九六六)、「狂宴」「甘美な牢獄」は『狂宴』(講談社、一九六九)、「官能旅行」は『官能旅行』(青樹社、一九七三)、「神々しき娼婦」は『金髪』(徳間書店、一九七二)を底本とし、各種刊本、初出誌等を参照した。

本書の編集にあたり、原則として漢字は新字体に、仮名は新仮名遣いに統一した。また、明らかな誤記・誤植と思われるものは訂正した。底本にあるルビは適宜採用し、難読語句については新たにルビを付した。

本書中には、現在の人権感覚からすれば不適切と思われる表現があるが、原文の時代性を考慮してそのままとした。

宇能 鴻一郎（うの こういちろう）

1934年、北海道札幌市生まれ。本名鵜野広澄。家族4人で、東京、山口、福岡、満洲国（現中国東北部）撫順、長野県坂城と移り住み、満洲国奉天にて終戦を迎える。福岡県立修猷館高校から東京大学教養学部文科二類に入学。修士課程在学中の1961年、仲間たちと創刊した同人誌『螺旋』掲載の「光りの飢え」が『文學界』に転載され、これが芥川賞候補となる。次作の「鯨神」が翌年1月に芥川賞を受賞。以後おもに性を主題として新しい文学を切り開くが、文壇では正当に評価されず、1971年から徐々に女性告白体の官能小説に軸足を移した。歴史小説、ハードボイルド、推理小説でも独自の世界を築いている。

主な著書に『密戯・不倫』『楽欲（ぎょうよく）』『痺楽』『肉の壁』『黄金姦鬼』『お菓子の家の魔女』『切腹願望』『金髪』『斬殺集団』などがある。

甘《かん》美《び》な牢《ろう》獄《ごく》
——シリーズ 日本語の醍醐味⑩

二〇二二年八月二十五日　初版第一刷発行
定　価＝本体二四〇〇円＋税

著　者　宇能鴻一郎
編　者　七北数人・烏有書林
発行者　上田　宙
発行所　株式会社 烏有書林
〒二六一—〇〇二六
千葉県千葉市美浜区幕張西四—一—一四—七〇七
info@uyushorin.com　https://uyushorin.com
印　刷　株式会社　理想社
製　本　株式会社　松岳社

ISBN978-4-904596-13-5